ANAYA | **E**SPAÑOL LENGUA EXTRANJERA

 fonética

M.ª Pilar Nuño Álvarez
José Ramón Franco Rodríguez

Coordinado por
M.ª Ángeles Álvarez Martínez

Medio **B1**

ANAYA ñ ELE

Equipo de la Universidad de Alcalá

Dirección de la serie Anaya ELE (en) fonética: María Ángeles Álvarez Martínez

Programación:　María Ángeles Álvarez Martínez
　　　　　　　　Ana Blanco Canales
　　　　　　　　María Jesús Torrens Álvarez

© Del texto: M.ª Pilar Nuño Álvarez, José Ramón Franco Rodríguez
　　　　　　　María Ángeles Álvarez Martínez (directora y coordinadora), 2002
© De los dibujos: Grupo Anaya, S.A., 2002
© De esta edición: Grupo Anaya, S.A., 2002
　　　　　　　　　Juan Ignacio Luca de Tena, 15 - 28027 Madrid

2.ª edición: 2008

Depósito legal: M-33.305-2008
ISBN: 978-84-667-7840-4
Printed in Spain
Imprime: Huertas Industrias Gráficas, S.A.

Equipo editorial
Edición: Milagros Bodas, Carolina Frías, Sonia de Pedro
Ilustración: El Gancho (Tomás Hijo, José Zazo y Alberto Pieruz)
Cubiertas: Taller Universo: M. Á. Pacheco, J. Serrano
Diseño de interiores y maquetación: Ángel Guerrero
Grabación: Texto Directo

 PRESENTACIÓN

Anaya ELE en es una colección temática diseñada para aunar teoría y práctica en distintos ámbitos de la enseñanza de Español como Lengua Extranjera. Su objetivo es ofrecer un material útil donde la teoría se combine de forma coherente con la práctica y permita al alumno una ejercitación formal y contextualizada a través de actividades amenas y variadas, teniendo en cuenta siempre el uso de los contenidos que se practiquen.

Esta colección se inició con un libro dedicado a los **verbos,** un **referente** destinado a estudiantes de todos los niveles.

Anaya ELE en es una serie dedicada a la **gramática,** al **vocabulario** y a la **fonética,** estructurada en tres niveles siguiendo los parámetros del *Plan Curricular del Instituto Cervantes (2007).*

Esta fonética se divide en secciones, destinadas al estudio del alfabeto, las vocales, las consonantes, la acentuación y la entonación, con las que el estudiante puede reforzar o mejorar sus conocimientos de fonética y también corregir —o autocorregirse— su pronunciación.

ESTRUCTURA DE LA LECCIÓN

Cada lección consta de:

• **Estudia o Aprende.** Ficha teórica que explica la manera de pronunciar las vocales y las consonantes y su representación gráfica mediante un dibujo esquemático. Además se tratan cuestiones de acentuación y entonación.

- **Ejercicios.** Se ofrece una amplia gama de actividades de menor a mayor grado de dificultad, que permiten desarrollar la comprensión auditiva y la pronunciación del alumno.

PARTES DEL LIBRO

- Introducción.
- Lecciones.
- Recapitulación. Ejercicios lúdicos que repasan los contenidos ortográficos y fonéticos, y una serie de actividades destinadas a la comprensión oral.
- Soluciones.

En todos los manuales se incluyen las **soluciones** de los ejercicios; de esta forma se constituye en una herramienta eficaz para ser utilizada en el aula o como **autoaprendizaje**.

Anaya ELE 🄴🄽 pone al alcance del estudiante de español como lengua extranjera un material de trabajo que le sirve de **complemento a cualquier método**.

ÍNDICE

Introducción

✔ Fíjate en los siguientes esquemas

	Fonema	T. fonética	Grafía	Español	Francés	Portugués	Italiano	Inglés	Alemán
VOCALES	/i/	[i]	i, y	química, rey	pipe	rir	pipa	police	mit
	/e/	[e]	e	teléfono	porter	cafeteira	estate	they	fehlen
	/a/	[a]	a	casa	part	cabelo	amore	hand	baden
	/o/	[o]	o	oso	peau, pot	avô	orso	low	komet
	/u/	[u]	u	uva	poule	untar	luna	fool, rude	Mutter

	Fonema	T. fonética	Grafía	Español	Francés	Portugués	Italiano	Inglés	Alemán
CONSONANTES	/p/	[p]	p	pipa	père	painel	padre	open	Pollen
	/b/	[b]	b, v, w	bebé, vida	ballon	belo	borsa	abolition	Boot
		[b̺]		cabeza, ave	—	—	—	—	—
	/m/	[m]	m	mano	maison	milho	mano	much	Mühe
	/f/	[f]	f	fama	feu, photo	ferro	farina	few, photo	Faden, viel, Philosoph
	/t/	[t]	t	tomate	tante	taful	tabacco	stupid	Ton, Rad
	/d/	[d]	d	día	dire	doze	adesso	colder	du, undicht
		[d̺]		cada	—	—	—	then	—
	/θ/	[θ]	z + a, o, u c + e, i	zapato cena	—	—	—	thank thin	—
	/s/	[s]	s	santo	savoir	sapateiro	sicuro	essence	müssen, Straße
	/l/	[l]	l	lámpara	sol	leitura	luce	late	los, fallen
	/r/	[r]	r	caro	—	coração	Roma	choral	Rose, knurren
	/r̄/	[r̄]	r-, -rr-	radio, perro	—	—	arrivare	—	—
	/n/	[n]	n	nata	nous	menino	nove	night	nehmen
	/ĉ/	[ĉ]	ch	chorizo	—	—	dolce	choose	—
	/y/	[y]	y	haya	—	—	—	—	—
		[ŷ]		cónyuge, yate	—	—	—	jacket	Jutta
	/ļ/	[ļ]	ll	llave	—	malha	figlio	—	—
	/n̪/	[n̪]	ñ	año	vigne	Espanha	montagna	—	—
	/k/	[k]	c + a, o, u	cara, cosa, acuso	café	cartaz	cassa	cool	Chor
			qu + e, i	queso, aquí	qui	queijo	chimica	quiet	Quelle
			k	kilo, kiosco	képi	kilogramo	kayak	kilometre	Kind
	/g/	[g]	g + a,o,u	gato, gorra, guante	gare guérir	galo	gatto	agony	gehen
			gu + e, i	guerra					
		[g̺]		hago, águila	—	—	—	—	—
	/x/	[x]	j + a, o, u y + e, i	jamón, gitano	—	—	—	—	machen

-6-

Observa que no hay una correspondencia exacta entre grafías y fonemas*. Un mismo fonema puede representarse en la escritura con más de una letra, como /x/, para el que se utilizan las grafías *j, g;* y al contrario, dos o más letras pueden pertenecer al mismo fonema, como *c, z,* que corresponden al fonema /θ/.

La *h* del alfabeto no se pronuncia, aunque se realiza en la escritura.

La *x* del alfabeto no existe como fonema; se pronuncia como [ks], [gs] o [s].

*Un fonema es una unidad abstracta que se actualiza en el habla por medio de un sonido. En la escritura aparece siempre entre barras / /. Un sonido es lo que se oye cuando se pronuncia un fonema, ya sea vocal o consonante. En la escritura aparece entre corchetes [ ].

Para facilitar la comprensión de cómo se pronuncian los diferentes sonidos del español, utilizaremos para cada uno de ellos un esquema facial en el que se representará la posición de los órganos articulatorios.

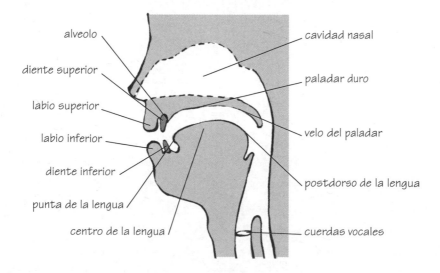

alveolo

diente superior

labio superior

labio inferior

diente inferior

punta de la lengua

centro de la lengua

cavidad nasal

paladar duro

velo del paladar

postdorso de la lengua

cuerdas vocales

Parte I

EL ALFABETO

✔ Recuerda

A, a	B, b	C, c	D, d	E, e	F, f	G, g	H, h	I, i
a	be	ce	de	e	efe	ge	hache	i
J, j	K, k	L, l	M, m	N, n	Ñ, ñ	O, o	P, p	Q, q
jota	ka	ele	eme	ene	eñe	o	pe	cu
R, r	S, s	T, t	U, u	V, v	W, w	X, x	Y, y	Z, z
ere	ese	te	u	uve	uve doble	equis	i griega	zeta

El español tiene algunas letras dobles: ch (che); ll (elle); rr (erre).

1 **Deletrea las siguientes palabras.**

Ej.: *suegro: ese, u, e, ge, ere, o*

sobrina: ....   yerno: ....

nieto: ....   bisabuelo: ....

cuñada: ....   hija: ....

consuegro: ....   tataranieta: ....

2 **Ordena las sílabas de estas palabras.**

zosbra: ....   eznu: ....   turacin: ....

jillame: ....   llarodi: ....   megelos: ....

barllabi: ....   palesda: ....   bliomgo: ....

tañaspes: ....   radeca: ....   belloca: ....

■ **Ahora, ordena las palabras anteriores alfabéticamente.**

....

....

....

3 Sustituye cada letra por la siguiente del alfabeto. Descubre la relación que tienen todas las palabras.

s ñ k d c ñ: ....   l z k k ñ q b z: ....

r d u h k k z: ....   f q z m z c z: ....

b ñ q c ñ a z: ....   r d f ñ u h z: ....

f t z c z k z i z q z: ....   s d m d q h e d: ....

4 Transcribe fonéticamente las siguientes letras.

Ej.: *j: [x]*

ch: ....   y: ....   z: ....

rr: ....   ll: ....   c: ....

f: ....   ñ: ....   v: ....

5 ¿Qué letras están representadas en estos signos fonéticos?

[y]: ....   [k]: ....   [ṋ]: ....

[θ]: ....   [ḽ]: ....   [m]: ....

[b]: ....   [x]: ....   [g]: ....

6 Mensaje en una botella. Descubre dónde está el náufrago que escribió el mensaje.

&<toy &n un* i<l* d& un gr*n oc&*no. &n &<ta i<l* no h*y much*<
p*lm&r*< p&ro <& v<n un*< c*b&z*< gr*nd&< y *ntigu*< muy c&rc*
d& l* pl*y*

&: ....   <: ....   *: ....

■ **Inventa un mensaje parecido utilizando otros símbolos y entrégaselo a tu compañero para que lo descifre. Después intenta descifrar el mensaje de tu compañero.**

....

....

....

....

7 **El ahorcado.**

Reglas del juego:

Se necesitan dos jugadores (A y B).

1. El jugador A piensa una palabra y coloca tantas rayitas como letras tiene la palabra.

2. El jugador A irá colocando en los lugares correspondientes cada una de las letras que solicite el jugador B.

3. Cada vez que la letra solicitada no aparezca en la palabra, el jugador A dibujará una parte de la figura del ahorcado (cabeza, tronco, brazos y piernas).

4. Al acabar el primer turno, el jugador B inventa a su vez una palabra que ha de adivinar el jugador A.

5. El jugador cuya figura ahorcada esté más incompleta será el ganador.

6. Pueden utilizarse nombres de países, ciudades españolas, escritores y pintores españoles, etc.

Parte II

LAS VOCALES

✔ **Estudia**

El español tiene cinco vocales: **i, e, a, o, u.** Las vocales **i, e** son anteriores (es decir, la lengua se coloca en la parte anterior de la boca); **o, u** son posteriores (la lengua se sitúa en la parte posterior de la boca); **a** es central. En su pronunciación la lengua desempeña un papel muy importante.

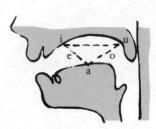

1 Fonema /i/

✔ **Estudia**

Fonema: /i/

Descripción: vocal cerrada, anterior.

Grafía: **I, i; Y, y.**

Pronunciación: se pronuncia colocando la lengua muy cerca del paladar, en la parte anterior de la boca. Los labios están entreabiertos y estirados (dibujos 1 y 2).

Posición: inicial *(ira)*, interior *(risa)* o final de palabra *(jabalí, ley)*.

1

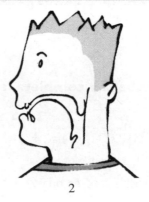

2

(1: 1)

1

Escucha y repite.

idea, ibérico, hispánico, cocina, castigo, carpintero, jabalí, discutir, difícil, útil

2

Lee las siguientes palabras y graba tu pronunciación.

vivo, visita, bolígrafo, lápiz, piscina, iris, cigarrillo, Madrid, pisar, risita

(1: 2)

■ Escucha y corrige tu pronunciación.

(1: 3)

3

Escucha y repite.

risa / rasa

aquí / acá

pilota / pelota

ficha / fecha

firma / forma

pisada / posada

pía / púa

pira / pura

4

Completa las palabras con las vocales correspondientes. Puede haber más de una posibilidad. Un diccionario te será muy útil.

| qu...so | ch...ca | pr...sa | r...ja | l...sa |
| ép...ca | arr...ba | all... | c...rs... | gr...ta |

■ Escribe cuatro frases utilizando algunas de estas palabras.

....

....

....

....

(1: 4)

5

Escucha y completa las siguientes frases.

1. .... se ha quedado ....

2. El .... ha .... gol.

3. .... es un .... y delgado, ... como un ....

4. .... es una .... de ....

(1: 5)

 6 Escucha y repite. Fíjate en la contracción de la *i*.

casi indecente, mi infancia,

rubí intenso, voy inmediatamente,

alhelí y clavel, mili interminable,

allí hice arroz,

hay ingleses,

mi informe,

viví irregularmente

> Observa que cuando una palabra acaba en *i* y la siguiente empieza por la misma vocal, éstas se pronuncian como una sola vocal.
>
> Ej.: *mi hijo: mijo.*

 7 ¿Sabes qué es un trabalenguas? Se trata de un juego de palabras con sonidos muy parecidos que dificultan su lectura. Intenta leer éste.

Pino sobre pino,

sobre pino, lino,

sobre lino, flores

y alrededor, amores.

2 Fonema /e/

✔ Estudia

> *Fonema:* /e/
>
> *Descripción:* vocal media, anterior.
>
> *Grafía:* **E, e.**
>
> *Pronunciación:* se pronuncia con la lengua un poco separada del paladar y situada en la parte anterior de la boca. Los labios están algo más abiertos que en la articulación de la /i/ (dibujos 1 y 2).
>
> *Posición:* puede aparecer en posición inicial *(eso),* interior *(pera)* y en final de palabra *(base).*

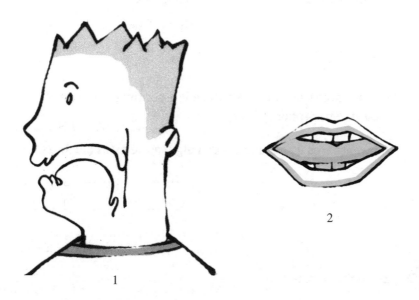

2

1

(1: 6)

1 **Escucha y repite.**

ese, hermano, eje, época, cereza, decena, papel, saber, leer, ataque, ser, cárcel, cable, cofre

(1: 7)

2 Escucha y escribe las palabras que oigas.

....

....

....

■ Lee el ejercicio anterior en voz alta.

(1: 8)

3 Escucha y completa las siguientes palabras con las vocales correspondientes.

...je / ...je   al...ta / al...ta

p...lo / p...lo   r...zar / r...zar

b...ba / b...ba   p...sada / p...sada

as...sto / as...sto   m...sa / m...sa

pr...sa / pr...sa   c...rro / z...rro

tr...c.../ tr...z...   c...ne / c...ne

abr... / abr...   p...sar / p...sar

r...to / r...to

1. Lee y graba el ejercicio anterior; a continuación escucha de nuevo y corrige tu pronunciación.

2. Inventa tres frases que tengan algunas de estas palabras.

....

....

....

(1: 9)

4 Escucha y repite.

este estado, bébete el vino, este emperador, vente enseguida, hace el desayuno, trece españoles, llueve estrepitosamente, sabe español, dulce helado, oye esto

> Fíjate en la contracción de la **e**.

(1: 10)

5 **Escucha y escribe.**

1. ....

2. ....

3. ....

4. ....

5. ....

6. ....

■ **Lee en voz alta las frases que has escrito.**

(1: 11)

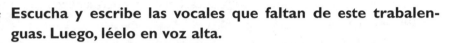

6 **Escucha y escribe las vocales que faltan de este trabalenguas. Luego, léelo en voz alta.**

Oy... ...l r...p...qu... o r...p...qu...t...o

d... ...s... r...p...qu...t...ador

qu... tan bien r...p...qu...t...a.

3 Fonema /a/

✔ *Estudia*

Fonema: /a/

Descripción: vocal abierta, central.

Grafía: **A, a.**

Pronunciación: la lengua se coloca separada del paladar ocupando una posición intermedia dentro de la boca. Los labios permanecen abiertos (dibujos 1 y 2).

Posición: puede aparecer en posición inicial *(ama)*, interior *(pato)* y final de palabra *(misa)*.

1

2

(1: 12)

 1 **Escucha y repite.**

alma, ala, antes, sala, paso, cabeza, partido, mañana, manteca, danzar, acá, mal

(1: 13)

 2 **Escucha y completa. Luego, lee las palabras en voz alta.**

p...l...t..., t...p...d...r..., s...l...d..., n...tur...l...z...,
m...nt...qu...ll..., j...l......, h...b...t...nt..., l... ...lcob..., c...n...l...,
cr...m...ll...r...

■ **Lee y graba el ejercicio anterior; escucha de nuevo y corrige tu pronunciación.**

(1: 14)

3 **Escucha y repite.**

> Fíjate en la contracción de la *a*.

la **a**ltura, margarit**a a**marilla, er**a a**legre, est**á a**gria, camis**a a**zul, lleg**a ha**sta **a**quí, l**a a**ncha sala, pen**a a**marga, se encamin**a ha**cia la nada, cristalin**a a**gua

(1: 15)

4 **Escucha y completa las siguientes palabras con la vocal que corresponda.**

m...za, br...zo, lanz..., p...sta, R...ta, ac..., r...to, s...l..., p...sar, m...lta, m...le, h...ll...

1. Forma palabras distintas sustituyendo por otra la vocal que has escrito.
Ej.: *meza / maza*

2. Léelas en voz alta.

(1: 16)

5 **Escucha y escribe.**

1. ....
2. ....
3. ....
4. ....
5. ....

6 **Escribe cinco palabras que contengan la vocal *a* en la primera sílaba y otras cinco palabras que la tengan en la última sílaba.**

....
....

7 **Lee muy rápido este trabalenguas.**

Amo y ama se aman,
el ama ama a su amo,
el amo ama a su ama;

si el amo ama
y el ama ama,
aman y aman el amo y el ama.

■ **Señala con ‿ la contracción de *a*.**

(1: 17)

8 **Escucha atentamente este chiste. ¿Sabrías explicarlo?**

–Mamá, mamá, el plátano está blando.
–¿Y qué te dice?

4 Fonema /o/

✔ *Estudia*

Fonema: /o/

Descripción: vocal media, posterior.

Grafía: **O, o.**

Pronunciación: la parte posterior de la lengua se acerca al velo del paladar, en la parte posterior de la boca, y los labios se redondean (dibujos 1 y 2).

Posición: puede aparecer en posición inicial *(ola),* interior *(codo)* y final *(paro).*

1

2

(1: 18)

1 **Escucha y repite.**

o**stra**, **ó**pera, **o**ral, **o**beso, cord**ó**n, c**o**ster**o**, m**o**ño, n**o**rma, barr**o**te, man**o**-j**o**, **o**l**o**r**o**so, **o**tr**o**, s**o**l, cal**o**r, cant**ó**

(1: 19)

2 **Escucha las siguientes palabras y completa con las vocales correspondientes.**

m...nt...n, m...l...c...t...n, s...ll...n, g...l...s..., d...l...r...d...,
c...br...d...r, b...rb...r..., h...j...r...sc..., p...br...c...ll..., r...tr...t...

1. **Lee y graba el ejercicio anterior; a continuación escucha de nuevo y corrige tu pronunciación.**

2. **Clasifica las palabras anteriores según la posición de la o.**

o- sílaba inicial	-o- sílaba medial	-o sílaba final

(1: 20)

3 **Escucha las siguientes palabras y completa con la vocal correspondiente.**

m...r...	c...l...	p...s...
...c...s...	c...rr...	v...c...l
p...st...	m...r...d...	b...b...
m...t...	r...z...	p...bl...c...

1. **Forma palabras diferentes sustituyendo por otra la vocal que has escrito.**

Ej.: *moro / mora*

2. **Léelas en voz alta.**

(1: 21)

4 **Escucha y repite.**

Presta atención a la contracción de la *o.*

os**o** h**o**rmiguero, och**o** h**o**mbres, vin**o** **o**loroso, alg**o** **o**scuro, muchach**o** **ho**gareño, vient**o** **ho**rrible, pis**o** **o**ctavo, roj**o** **o** rosa, cas**o** **o**lvidado, estudi**o** **o**bligado

(1: 20)

5 **Escucha y escribe.**

1. ....

2. ....

3. ....

4. ....

5. ....

6. ....

7. ....

8. ....

■ Señala con ⌣ la unión de vocales. Después, escribe otros ejemplos y léelos en voz alta.

....

....

....

....

6 **Lee este trabalenguas.**

Ocho tras ocho son muchos ochos,
ocho corchos, ocho tronchos,
ocho cañas, ocho tochos,
ocho corchos, corchos ocho.

5 Fonema /u/

✔ *Estudia*

Fonema: /u/

Descripción: vocal cerrada, posterior.

Grafía: **U, u.**

Pronunciación: se pronuncia colocando el postdorso de la lengua muy elevado en la zona del paladar blando y redondeando los labios (dibujos 1 y 2).

Posición: aparece en posición inicial *(uva)*, interior *(cuna)* y final de palabra *(tabú)*, aunque en esta última posición es muy poco frecuente.

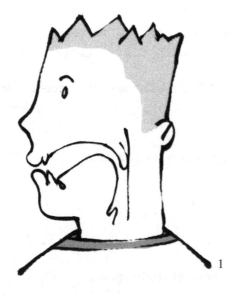

1

2

¡Cuidado!
En *qu* + *e, i* no se pronuncia la *u.*

(1: 23)

1 Escucha y repite.

uno, último, puño, tuyo, butaca, rumor, disputa, turquesa, consulta, gandul, cactus, cónsul, espíritu, gurú, Perú

(1: 24)

2 **Escucha y completa.**

br…j…l…	b…cl…	c…lc…l…
d…sn…d…	fr…t…	f…t…r…
gr…m…	t…b…	h…m…
n…d…ll…	n…m…r…s…	c…c…r…ch…

■ **Lee y graba el ejercicio anterior; a continuación escucha de nuevo y corrige tu pronunciación.**

(1: 25)

3 **Escucha y repite.**

espírit**u hu**mano, bamb**ú hú**medo, s**u hu**mildad, trib**u hu**ndida, tis**ú hú**ngaro, t**u u**niforme, Per**ú** **u**rbano, s**u u**so, tab**ú u**niversal

> Presta atención a la contracción vocálica.

(1: 26)

4 **Escucha y completa.**

…sado / …sado	m…sa / m…sa	fr…to / fr…to
d…do / d…do	r…ta / r…ta	m…ro / m…ro
l…na / l…na	p…reza / p…reza	an…daba /an…daba
c…ro / c…ro	p…so / p…so	…sado / …sado

■ **Graba tu lectura del ejercicio anterior; después escúchala de nuevo. Corrige tu pronunciación.**

(1: 27)

5 **Escucha y escribe; después lee en voz alta.**

1. ....
2. ....
3. ....

6 **Lee en voz alta el siguiente trabalenguas.**

Utilitarios utilizan lo útil,
ya que lo útil es utilidad y utilizable,
pero utilizar todo lo útil utilizable,
hace utilitario hasta lo que no es útil.

(1: 28)

7 Escucha y escribe la vocal que corresponda.

...l s...l ...s ...n gl...b... d... fueg...,
l... l...n... ...s ...n d...sc... m...r...d....
...n... bl...nc... p...l...m... s... p...s...
...n ...l ...lt... c...pr...s c...nt...n...rio.
L...s cuadr...s d... m...rt...s p...r...c...n
d... m...rch...t... v...ll...d... ...mp...lv...d....
¡...l j...rd...n y l... t...rd... tr...nqu...l...!
Suen... ...l ...gua ...n l... fuent... d... m...rm...l.

A. Machado

■ **Lee el poema en voz alta.**

Parte III

DIPTONGOS, TRIPTONGOS, HIATOS

1 Diptongos

✔ **Estudia**

Un diptongo es la unión de dos vocales en la misma sílaba.

Hay dos clases de diptongos:

a) crecientes: se forman mediante la combinación de las vocales *i, u* átonas seguidas de *a, e, o* [*i, u,* + *a, e, o*]; de *i* seguida de *u; u* seguida de *i* [*i* + *u, u* + *i*]. Los diptongos crecientes son *ia, ie, io, ua, ue, uo, iu, ui.*

b) decrecientes: se forman con las vocales *a, e, o* seguidas de *i, u* átonas [*a, e, o* + *i, u*]. Los diptongos decrecientes son ***ai, ei, oi; au, eu, ou.***

◆ DIPTONGOS CRECIENTES

| i + a, e, o, u |

Se pueden formar diptongos cuando se unen vocales de palabras diferentes.
Ej.: *mi **o**rdenador.*

(1: 29)

1 **Escucha y repite.**

ia: lid**ia**, fer**ia**, ortoped**ia**, glor**ia**, camb**ia**nte, Cantabr**ia**, sobr**ia**, m**i a**brigo, cas**i a**zul, s**i a**caso

ie: c**ie**go, m**ie**do, t**ie**mpo, l**ie**bre, s**ie**mbra, m**i he**rmano, gentil **y he**rmosa, dime s**i e**res tú

io: matrimon**io**, envoltor**io**, viol**ín**, med**io**cre, ambic**ió**n, Pil**i o** Pilar, Dolores **y O**rlando, m**i ho**mbre

iu: c**iu**dadana, tr**iu**nfante, v**iu**dedad, acuár**iu**m, m**i hu**mildad, cas**i hu**mano, universal **y ú**nico

(1: 30)

2 **Escucha y escribe.**

1. ....
2. ....
3. ....
4. ....
5. ....

6. ....
7. ....
8. ....
9. ....
10. ....

1. Clasifica las palabras anteriores según el diptongo que contienen.

ia: ....

ie: ....

io: ....

iu: ....

2. Lee el ejercicio anterior en voz alta.

(1: 31)

3 **Escucha y escribe; después lee y graba. Escucha de nuevo y corrige tu pronunciación.**

1. ....

2. ....

3. ....

4. ....

5. ....

■ **Clasifica las palabras o grupos de palabras anteriores según el diptongo que contienen.**

ia: ....

ie: ....

io: ....

iu: ....

4 **Lee en voz alta.**

El cielo está empedrado,
¿quién lo desempedrará?
El desempedrador
que bien lo desempiedre
buen desempedrador será.

■ **Ahora, crea tú un trabalenguas parecido.**

5 **Escribe cuatro frases en las que aparezcan palabras con los diptongos *ia, ie, io, iu*.**

....

....

....

....

u + a, e, i, o

Recuerda:
En *-güe, -güi-* se pronuncia la **u**.
Ej.: *lingüista*, no *lingista*.

(1: 32)

6 Escucha y repite.

ua: parag**ua**s, c**ua**drícula, enag**ua**s, g**ua**rda, c**ua**renta, enj**ua**gar, averig**ua**-ción, c**ua**rto, c**ua**jada, espírit**u á**spero

ue: t**ué**tano, p**ue**des, env**ue**lto, j**ue**go, cig**üe**ña, C**ue**nca, ac**ue**rdo, s**ue**rte, m**ué**rdago, ac**ue**ducto

ui: r**ui**doso, s**ui**cidio, L**ui**sa, m**uy**, h**ui**dizo, r**ui**na, f**ui**, c**ui**dado, espírit**u i**nquie-to, trib**u i**mpetuosa

uo: ac**uo**so, q**uó**rum, fat**uo**, antig**uo**, conspic**uo**, c**uo**ta, averig**uo**, santi-g**uo**, impet**uo**so, ard**uo**

(1: 33)

7 Escucha y escribe.

…………, …………, …………, …………, …………, …………,
…………, …………, …………, …………, …………, …………,

■ **Forma parejas y léelas en voz alta.**

Ej.: *acosa / acuosa*

(1: 34)

8 Escucha y completa las siguientes frases.

La luna me llevaba al cementer… por un angust…so camino.
Por favor, Ana, escribe las cartas en c…rtillas.
¡No p…des comerte el t…tano de los h…sos!
Averig… dónde estaba aquella antig… ruta.

■ **Graba la lectura de estas frases; escucha de nuevo y corrige tu pronunciación.**

9 Lee el siguiente trabalenguas.

Juan juega jugando,
Juanito jugando juega,
con juegos juega Juan,
juega con juegos Juanito;
juntos juegan con juegos,
Juan y Juanito jugando.

◆ DIPTONGOS DECRECIENTES

a, e, o + i

> *-ai, -ei, -oi* finales se
> escriben *-ay, -ey, -oy*

(1: 35)

10 **Escucha y repite.**

ai: h**ay**, fr**ai**le, g**ai**ta, p**ai**saje, f**ai**sán, l**a i**lusión, nad**a i**gual, mud**a y** sorda,
pluma **y** papel, niñ**a i**ncorregible

ei: l**ey**, r**ey**, s**ei**s, p**ei**neta, sab**éi**s, com**e y** calla, padr**e y** madre, verd**e**
intenso, hombr**e y** mujer, gent**e i**naguantable

oi: h**oy**, est**oy**, c**oi**ncidir, b**oi**na, est**oi**co, her**oi**co, much**o y** mal, negr**o** infierno, alg**o i**nesperado, el gat**o y** la gata, suces**o i**ncreíble

(1: 36)

11 **Escucha y escribe.**

1. ....   3. ....   5. ....   7. ....   9. ....

2. ....   4. ....   6. ....   8. ....   10. ....

■ **Clasifica las palabras anteriores por clases de diptongo.**

ai: ....

ei: ....

oi: ....

(1: 37)

12 **Escucha y escribe.**

1. ....   6. ....   11. ....   16. ....   21. ....
2. ....   7. ....   12. ....   17. ....   22. ....
3. ....   8. ....   13. ....   18. ....   23. ....
4. ....   9. ....   14. ....   19. ....   24. ....
5. ....   10. ....   15. ....   20. ....

I. **A continuación empareja las palabras anteriores.**

ai / a	*ei / e*	*oi / o*
dabais / dabas		

(1: 38)

2. **Escucha y repite.**

(1: 39)

13 Escucha y completa.

La sartén tiene ac…ite hirv…ndo.

A las s…s vendré a buscarte.

P…nate b…n para el b…le.

Compra v…nte helados de v…nilla.

Este p…saje me entus…sma.

■ **Lee las oraciones anteriores en voz alta.**

a, e, o + u

(1: 40)

14 Escucha y repite.

au: **au**nque, **au**tomóvil, p**au**sa, t**au**rino, p**au**latino, l**a u**nión, c**au**sa **u**niversal, par**a u**sted

eu: **eu**ropeo, **eu**foria, d**eu**dor, n**eu**tro, r**eu**nión, est**e hu**racán, vist**e d**e **u**niforme, se sient**e u**fano,
¿qué quier**e u**sted?, tien**e hu**medad

ou: l**o u**ntó, acuerd**o u**nánime, curs**o u**niversitario, el chic**o hu**yó, cinc**o u**nidades

> *ou* es muy poco frecuente en español en interior de palabra, pero puede formarse mediante la unión de palabras.

(1: 41)

15 Escucha y escribe.

1. ………………………………	7. …………………………………
2. ………………………………	8. …………………………………
3. ………………………………	9. …………………………………
4. ………………………………	10. ………………………………
5. ………………………………	11. ………………………………
6. ………………………………	12. ………………………………

I. **Relaciona los pares siguiendo el ejemplo.**

Ej.: *Paula / pala*

(1: 42)

2. **Graba la lectura de los pares; luego escucha y corrige tu pronunciación.**

(1: 43)

16 Escucha y completa.

El .... es la .... moneda ....

A .... de .... se ha cerrado el ....

Los asistentes a la .... estaban ....

Es .... como un león.

No salgas, porque …............. …............ …............

Los .... son los habitantes de ....

Las .... el .... del río.

.... un niño que grita ....

Comeremos entre .... y ....

La .... de rosáceos dedos.

■ **Lee en voz alta las frases anteriores.**

(1: 44)

17 Escucha y completa con las vocales y los diptongos que correspondan.

L...s n...ñ...s s...pr... s...n m...s c...nm...v...d...r...s ...n
...nv...rn..., c...nd... ...l t...mbr... d...l d...sp...rt...d...r s...n... d...
n...ch... c...m... ...n... c...t...d...n... s...nt...nc... d... d...st...rr... y
l...s p...rp...d...s s... r...s...st...n ... d...sp...g...rs... ...nt... ...n...
t...z... d... c...l...-c... c...l...nt...; ...l m...nd... ...s ...n ...sc... q...
h... q... ...tr...v...s...r c...n ...l ...br...g... b...n c...rr...d..., c...n l...
f...rt...l...z... ...mpr...sc...nd...bl... p...r... n... d...sf...ll...c...r ...n
...n ...l... h...m...ll...d... p...r l...s c...l...r...s bl...nc...zc...s q...
v...lv...n p...l...d... ...l ...r....

Almudena Grandes, "Los hijos del deseo" (texto adaptado).

■ **Clasifica los diptongos del texto anterior en crecientes y decrecientes.**

Crecientes: ....

Decrecientes: ....

2 Triptongos

✓ *Estudia*

> Se llama triptongo al encuentro de tres vocales en la misma sílaba, de las cuales la vocal más abierta *(a, e)* aparece situada siempre en el centro y las vocales más cerradas *(i, u* átonas), en los extremos *(comerciéis).*
>
> En español constituyen triptongo las secuencias siguientes: *iai, iei, uai, uei.*

(1: 45)

1 Escucha y repite.

iai: limp**iái**s, cop**iái**s, med**iái**s, rab**ia i**ncontenible, suc**ia**
   y despeinada

iei: od**iéi**s, colump**iéi**s, pronunc**iéi**s, a nad**ie**
   interesa, p**ie i**nfantil

uai: ag**uái**s, Parag**uay**, apacig**uái**s, antig**ua**
   historia, ag**ua i**nsípida

uei: b**uey**, atestig**üéi**s, averig**üéi**s, apacig**üe**
   y tranquilice

> Se pueden formar otros tipos de triptongos mediante la unión de vocales pertenecientes a palabras diferentes: Ej.: *antiguo imperio, odio inútil.*

(1: 46)

2 Escucha y completa.

rab...s, estud...s, remed...s, ag...s, desprec...s, atestig...s, distanc...s, camb...s, desprec...s, ensuc...s, ard... ... difícil, leng... ...mposible

■ **Graba la lectura del ejercicio anterior; después escucha de nuevo y corrige tu pronunciación.**

(1: 47)

3 **Escucha y completa.**

¿Por qué no averig…s la hora de salida de n…stro …tobús?

He visto en Parag… cómo araba un b….

Si os ensuc…s los vestidos, os camb…s.

Qu…ro que averig…s la verdad.

No estud…s con tan poca luz.

■ **Lee en voz alta el ejercicio anterior.**

4 **Escribe cinco frases parecidas a las del ejercicio anterior en las que aparezcan los triptongos _iai, iei, uai, uei_.**

3 Hiatos

✔ Estudia

El hiato consiste en la aparición de dos vocales seguidas que pertenecen a sílabas diferentes.

Forman hiato las siguientes combinaciones vocálicas: [a + e, o]; [e, o + a]; [e + o]; [o + e]; y también las vocales altas tónicas (í, ú) seguidas o precedidas de vocal más abierta [í, ú + a, e, o]; [a, e, o + í]; [a, e + ú]. Así por ejemplo son hiatos las vocales de *cae, ahogo, ríe, ahí, Seúl*.

(1: 48)

 1 **Escucha y repite.**

caótico, caoba, nao	tío, río, estío
paella, caedizo, traerás	gradúa, sitúa, púa
veamos, línea, aldea	acentúen, sitúen
coágulo, toalla, oasis	ahí, país, raído
mareo, paseo, feo	leí, reí, leísmo
cohete, roer, coherencia	oído, loísmo, heroína
tía, día, queríamos	aún, baúl, aúlla
ríe, líe, críen	Seúl, reúma

(1: 49)

  2 **Escucha y repite. Fíjate en la diferencia entre diptongo e hiato.**

hay / ahí	rey / reí
hacia / hacía	pie / píe
hoy / oí	continua / continúa
ley / leí	conspicua / capicúa

(1: 50)

3 Escucha y marca el hiato en las palabras que lo contengan. Pon el acento ortográfico donde falte.

impia	limpia	voy	bohio
seismo	seis	reuno	reunio
aula	aulla	oido	odio
odia	dia	aun	aunaba
volvia	violin	tio	tiovivo

4 Separa las sílabas de las siguientes palabras; a continuación léelas en voz alta.

saúco	autobús
Asia	acentúa
labio	aeropuerto
sucia	Jaén
venía	extraordinario
muerde	Aurelio
laísmo	cereales
coherencia	meteoro

5 Señala los hiatos que aparecen en estas frases; a continuación léelas en voz alta.

El maestro no quiere explicar todavía el tema de la Creación.

Ahora mismo te doy las toallas limpias.

El río pasa cerca de la aldea.

Ahí hay un niño que dice ¡ay!

El poeta recitará seis poemas con la música del laúd.

Aún se oyen los cohetes de las fiestas.

6 Lee el siguiente trabalenguas.

Había una vez un mero moro
muy enamorado de una mera mora,
pero la buena mera mora
le dijo al buen mero moro:
—Yo de ti no me enamoro
por ser tan maromero.

Busca en esta sopa de letras diez palabras relacionadas con el tiempo y los fenómenos meteorológicos.

■ Clasifica las palabras de la sopa de letras que contengan diptongos o hiatos.

Diptongos	Hiatos

Parte IV

LAS CONSONANTES

1 Fonema /p/

✔ *Recuerda*

El español posee un sistema consonántico formado por diecinueve fonemas consonánticos. Cada uno de ellos tiene su representación gráfica o letra.

✔ *Estudia*

Fonema: /p/

Descripción: oclusivo, bilabial, sordo.

Representación fonética: [p]

Grafía: **P, p.**

Pronunciación: se articula cerrando completamente los labios para impedir la salida del aire, tal y como se ve en el dibujo.

Posición: puede aparecer en inicial de palabra *(paro),* en final de sílaba interior *(apto)* y en inicial de sílaba interior de palabra, sola *(copa)* o agrupada con r, l *(aplique, pronunciación).*

Son **sonidos oclusivos** aquellos en los que se retiene brevemente la salida del aire al cerrarse los órganos articulatorios.

(1: 51)

1 Escucha y repite.

papagayo, **p**eligro, **p**intar, **p**laca, **p**liegue, **p**remio, **p**rocurar, a**p**ego, de**p**orte, ca**p**a, a**p**risionar, des**p**legar, a**p**titud, ca**p**tación

2 Escribe cuatro palabras con:

p-, pr-, pl- inicial de palabra: ....
-p-, -pr-, -pl- interior de palabra: ....

■ **Léelas en voz alta.**

(1: 52)

3 Escucha y escribe *p-, pl-* o *pr-* donde corresponda.

le…a; so…a la so…a; am…itud; ca…acidad; em…ea el jabón …ara los …atos; ve de…isa …or el …eriódico; la em…esa y el em…eado.

■ **Lee el ejercicio anterior en voz alta.**

(1: 53)

4 Escucha y marca la palabra que oigas.

soplar / sopar, a pesar / apresar, pleno / peno, presa / pesa, pan / plan, copla / copa, pisa / prisa

■ **Lee las palabras anteriores en voz alta.**

(1: 54)

5 Escucha y escribe.

1. ....
2. ....
3. ....
4. ....
5. ....

6 Lee los siguientes trabalenguas.

Puedes, Pepe, pedir perfectamente
por pura precisión pelo prestado,
pudiendo presumido por peinado
ponerte perifollos propiamente.

Podador que podas tus parras,
¿podas tus parras o qué parras podas?

2 Fonema /b/

✔ *Estudia*

Fonema: /b/

Descripción: oclusivo, bilabial, sonoro.

Representación fonética: [b] y [Ƀ]

Grafía: **B, b; V, v.**

Pronunciación: el fonema /b/ tiene dos realizaciones.

a) Oclusiva: siempre que aparece en inicial de palabra tras una pausa, o precedido de las consonantes *n* o *m*. Se pronuncia cerrando completamente los labios; suena fuerte (dibujo 1). Fonéticamente se representa como [b].

b) Fricativa: cuando va precedido de vocal o de consonante que no sea *n* o *m*. Se pronuncia acercando los labios sin que lleguen a cerrarse; suena más suave (dibujo 2). Fonéticamente se representa como [Ƀ]. Tanto [b] oclusiva como [Ƀ] fricativa son sonoras, es decir, hay vibración de las cuerdas vocales.

Posición: aparece en posición inicial de palabra *(bote),* en interior de palabra *(haba)* y en posición final de sílaba *(absurdo)* o de palabra *(Job),* aunque en este último caso no es muy frecuente. Igualmente puede aparecer agrupado con las consonantes *r, l (brujo, blusa).*

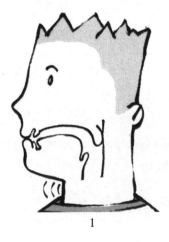

1

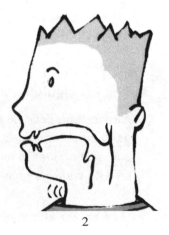

2

✔ *Aprende*

$$
\text{/b/}
\begin{cases}
\text{oclusiva [b]}
\begin{cases}
\text{pausa} + b, v \\
n + v \\
m + b
\end{cases} \\[2em]
\text{fricativa [ƀ]}
\begin{cases}
\text{vocal} + b, v \\
\text{consonante (no } n, m) + b, v
\end{cases}
\end{cases}
$$

■ [b] oclusiva = pausa + *b, v* / *n* + *v* / *m* + *b*

(1: 55)

 1 **Escucha y repite.**

bala, **v**ello, **b**razo, **b**lanco, hom**b**re, in**v**ento, un **v**alle, en **b**arco, con **b**ro-che, en **v**ena

2 **Con ayuda de tu diccionario escribe cuatro palabras con:**

b-, v- inicial de palabra: ....

br-, bl- inicial de palabra: ....

n + v: ....

m + b: ....

■ **Ahora léelas en voz alta.**

(1: 56)

3 **Escucha y completa.**

.... a pasar unos días en ....

Durante el .... sopla un .... fuerte.

Aquel .... tiene los .... enrojecidos por el sol.

Estoy pintando con .... el casco de un ....

.... de ....

■ **Lee en voz alta el ejercicio anterior.**

[b̶] fricativa = vocal + *b, v* / consonante (no *n, m*) + *b, v*

(1: 57)

4 **Escucha y repite.**

abanico, robo, ciervo, cable, cebra, el botón, dos varas, a la brasa, obsesión, absurdo, Job

5 **Con ayuda del diccionario escribe tres palabras con:**

-b-, -bl-, -br- en interior de palabra: ....

consonante (no *n, m*) + *b, v*: ....

....

■ **Ahora léelas en voz alta.**

(1: 58)

6 **Escucha y completa.**

El .... de ....

.... unos días durante aquel ....

Pásame el .... y el .... de ...., por ....

Es un .... muy ....

.... un .... del jardín.

■ **Escucha de nuevo y repite.**

(1: 59)

7 **Escucha y escribe [b] o [b̶].**

Aquí a...undan los ...alles de hier...a fresca.

...i...o angustiada con tus in...entos.

El asom...ro le ha cam...iado el sem...lante.

Me tiene em...rujada con sus ...romas.

Jaco... es un hom...re ca...al.

■ **Lee el ejercicio anterior en voz alta tratando de diferenciar la pronunciación de [b] oclusiva y [b̶] fricativa.**

(1: 60)

8 **Escucha y marca con ✓ la pronunciación que consideres correcta y con ✗ la que no lo es.**

Ej.: *amƀos* ✗ / *leƀe* ✓

libertad	las bromas	sin blanca	objeto
inƀierno	teleƀisión	hierƀa	emƀudo
reƀaño	sombrero	ƀreƀe	mis brazos
salƀaje	laƀorable	esbelto	laƀaƀo

■ **Escucha de nuevo y repite.**

(1: 61)

9 **Escucha y escribe [b] o [ƀ].**

Ej.: *brebaje: breƀaje*

bienvenido: ....

es búlgaro: ....

el brasero: ....

cumbres borrascosas: ....

los ciervos salvajes: ....

absurda obsesión: ....

un blusón verde: ....

bebo cerveza en vaso: ....

vivo sin vivir en mí: ....

■ **Lee y graba el ejercicio anterior; a continuación escucha de nuevo y corrige tu pronunciación.**

(1: 62)

10 **Escucha y escribe.**

1.	9. ....
2.	10. ....
3.	11. ....
4.	12. ....
5.	13. ....
6.	14. ....
7.	15. ....
8.	16. ....

1. Agrupa las palabras del ejercicio anterior formando pares.

Ej.: *brazo* / *bazo*

....

....

....

....

2. Ahora lee las palabras en voz alta.

11 Escribe tres frases utilizando las palabras del ejercicio 10.

....

....

....

◆ CONTRASTE *p* / *b*

(1: 63)

12 Escucha y escribe. Después, lee los pares en voz alta.

...ata / ...ata	...isado / ...isado	ca...ilar / ca...ilar
...año / ...año	...ulgar / ...ulgar	cu...o / cu...o
...álida / ...álida	...risa / ...risa	gra...e / gra...e
...ies / ...ies	...ez / ...ez	la...a / la...a
...elado / ...elado	...alencia / ...alencia	a...arcar / a...arcar

(1: 64)

13 Escucha y numera las siguientes palabras por orden de audición.

baño ...	vista ...
ópalo ...	paño ...
poquilla ...	paso ...
pista ...	óvalo ...
vaso ...	boquilla ...

■ Relaciona las palabras anteriores formando pares y léelas en voz alta.

(1: 65)

14 **Escucha y escribe.**

.... / ....; .... / ....; .... /
...............; .... / ....; .... / ....

■ **A continuación graba la lectura del ejercicio anterior. Escucha de nuevo y corrige tu pronunciación.**

(1: 66)

15 **Escucha y escribe [p], [b] o [ƀ] según corresponda.**

Ha...ía una ...ez un za...atero que llegó a ser tan ...o...re que, al fin, sólo le quedó el trozo de cuero indis...ensa...le ...ara fa...ricar un ...ar de ...otas. Las cortó una noche, ...ensando tra...ajarlas al día siguiente, y se fue a dormir. A la mañana siguiente fue a ...uscar el tra...ajo que ha...ía ...re...arado la ...ís...era y encontró aca...ado el ...ar de ...otas. El ...o...re hom...re no salía de su asom...ro: eran ...erdaderamente ...erfectas y ...rimorosas.

■ **Clasifica las palabras que has escrito según contengan sonido oclusivo [p], [b] o fricativo [ƀ].**

oclusivo [p], [b]	fricativo [ƀ]

3 Fonema /*m*/

✔ *Estudia*

Fonema: /m/
Descripción: nasal, bilabial, sonoro.
Representación fonética: [m]
Grafía: **M, m.**

Pronunciación: se pronuncia cerrando momentáneamente los labios mientras el aire sale a través de las fosas nasales. Hay vibración de las cuerdas vocales, como se puede apreciar en el dibujo.

Posición: aparece en cualquier posición. En posición inicial de palabra (*m*ano), en inicial de sílaba en interior de palabra (a*m*a); también, aunque es poco frecuente, puede aparecer en posición final de palabra (álbu*m*) y al final de sílaba en interior de palabra (alu*m*no).

(1: 67)

1 **Escucha y repite.**

manivela, mentira, mirada, mimbre, mosquito, mujer, amarillo, camilla, comienzo, semana, campana, siempre, ámbar, sombra, inmóvil, referéndum

2 **Dicta a tu compañero tres palabras con:**

m- inicial de palabra: ....
-m- en posición interior de palabra: ....
-m + b, p: ....

■ **A continuación copia tú las palabras que él te dicte.**

....
....

(1: 68)

3 **Escucha y escribe.**

1. .... 9. ....
2. .... 10. ....
3. .... 11. ....
4. .... 12. ....
5. .... 13. ....
6. .... 14. ....
7. .... 15. ....
8. .... 16. ....

1. **Agrupa las palabras anteriores formando pares.**

Ej.: *tomillo / tobillo*

(1: 69)

2. **Escucha y repite.**

(1: 70)

4 **Escucha y escribe.**

....
....
....
....
....
....

1. Agrupa las palabras anteriores por tríos.

Ej.: *cava / capa / cama*

(1: 71)

 2. Escucha y repite.

(1: 72)

 5 **Escucha y escribe.**

....

....

....

....

....

....

....

 1. Escucha de nuevo y señala todas las palabras que tengan *m*.

2. Lee el texto en voz alta.

6 **Busca en esta sopa de letras cuatro pares con *m* / *b, v*; *m* / *p* y *m* / *n*.**

Ej.: *lama / lana*

S	O	L	L	E	M	A	C
R	L	J	R	L	A	M	A
F	L	K	E	L	R	A	X
E	E	L	A	A	Y	N	G
W	B	N	Ñ	T	I	E	U
O	A	P	A	R	E	C	E
L	C	D	W	O	T	E	H
Ñ	D	K	Q	M	S	C	P
L	A	T	R	O	P	V	R

7 **Lee este trabalenguas en voz alta.**

Por el camino camina un caminante
que no es caminante que camina por caminos,
sino que camina por caminos de caminantes
sin ser caminante de aquel camino por el que camina.

4 Fonema /f/

✔ *Estudia*

Fonema: /f/

Descripción: fricativo, labiodental, sordo.

Representación fonética: [f]

Grafía: **F, f.**

Pronunciación: se pronuncia acercando el labio inferior a los dientes superiores y dejando una pequeña abertura por la que pasa el aire (ver dibujo). No hay vibración de las cuerdas vocales.

Posición: Puede aparecer en posición inicial *(favor),* o en interior de palabra en inicial de sílaba *(café).* También puede agruparse a las consonantes r, l *(flaco, frecuente).*

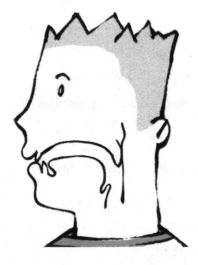

Son **sonidos fricativos** aquellos en cuya pronunciación se produce la salida del aire de forma continua.

(1: 73)

 1 **Escucha y repite.**

fila, fecha, farol, flauta, flecha, franco, fresa, afán, cofre, aflorar, inflar, huérfano, desfile

2 **Dicta a tu compañero dos palabras que tengan:**

f-, fr-, fl- en inicial de palabra: ....

-f-, -fr-, -fl- en interior de palabra: ....

■ **Escribe ahora tú las palabras que él te dicte.**

....

....

(1: 74)

3 **Escucha y escribe.**

....

....

....

■ **Escucha de nuevo y repite.**

(1: 75)

4 **Escucha y escribe.**

...eo / ...eo   ...ichero / ...ichero

...oco / ...oco   ...aro / ...aro

...ila / ...ila   ...orro / ...orro

...esa / ...esa   ...an / ...an

...anco / ...anco   ...utal / ...utal

■ **Graba la lectura del ejercicio anterior; escucha de nuevo y corrige tu pronunciación.**

(1: 76)

5 **Numera las siguientes palabras por orden de audición.**

van ... forra ... brisa ... paja ... banal ... panal ... fan ... porra...
fanal ... baja ... prisa ... borra ... frisa ...   pan ... faja ...

1. Agrupa estas palabras en tríos.

Ej.: *van / fan / pan*

....

....

2. Lee los tríos de palabras en voz alta.

(1: 77)

6 Escucha y completa el siguiente texto.

En e…ecto, cuando estu…o de …uelta encontró un …alacio, todo de …ár…ol y con techos de oro, en lugar de la …ieja casa. El …alacio esta…a rodeado de centinelas que …ohi…ían la entrada. Detrás del …alacio ha…ía un …arque …ancés con toda clase de …utas y …ores, que …aja…a hasta un …óxi…o río. Al …ente se extendía una …adera …erde y en el centro de la …adera ha…ía una …or…ida…e …uente de una …iedra …anquísi…a. Allí esta…an en …ila unos …ocos regi…ientos que i…an a des…ilar ante los ojos de la e…eratriz.

Carmen Bravo Villasante, "El pez de oro", *Antología de la literatura infantil española. Folklore.*

1. Ahora léelo en voz alta.

2. Dicta a tu compañero las tres primeras líneas del texto. Después copia tú las tres siguientes que él te dicte.

....

....

....

....

5 Fonema /t/

✔ *Estudia*

Fonema: /t/

Descripción: oclusivo, dental, sordo.

Representación fonética: [t]

Grafía: **T, t.**

Pronunciación: se toca con la lengua la parte posterior de los dientes superiores dejando salir el aire rápidamente (ver dibujo).

Posición: aparece en inicial de palabra y en inicial de sílaba interior de palabra, solo *(taza, ratón)* o agrupado con r *(trozo, detrás)*, y en posición final de sílaba *(atleta)*.

(1: 78)

 1 **Escucha y repite.**

tierra, tetera, tabaco, túnel, trineo, trastero, tronco, carretera, matar, estantería, pista, detrás, teatro, catástrofe, atmósfera

2 **Dicta a tu compañero cuatro palabras con:**

t-, *tr-* en inicial de palabra: ....

-t-, *-tr- en* interior de palabra: ....

■ **Copia las palabras que él te dicte.**

....

....

....

(1: 79)

3 **Escucha y escribe.**

1. Mi .... es la .... de ....

2. .... la .... del .... que .... hecho en la ....

3. –¿Dónde .... de ....?

   –En el ...., en la .... que hay .... la ....

4. .... en el .... de ....

(1: 80)

4 **Escucha y escribe.**

1. .... /..........   3. .... /..........   5. .... /..........

2. .... /..........   4. .... /..........   6. .... /..........

■ **Lee y graba el ejercicio anterior; escucha de nuevo y corrige tu pro-nunciación.**

(1: 81)

5 **Escucha y escribe.**

.............., ..., ..., ..., ..., ...

.............., ..., ..., ..., ..., ...

(1: 82)

■ **Agrupa las palabras anteriores formando pares; escucha y repite.**

6 **Lee los siguientes trabalenguas.**

Trazó el trazo trazando,
trazo que nunca él trazó;
pues el trazador de trazos,
traza los trazos trazando.

> *Tres tristes tigres comían un triste plato de trigo,*
> *¡qué rico estaba el trigo que comían los tres tristes tigres!*

6 Fonema /d/

✔ *Estudia*

Fonema: /d/

Descripción: oclusivo, dental, sonoro.

Representación fonética: [d] y [đ]

Grafía: **D, d.**

Pronunciación: este fonema tiene dos realizaciones.

a) Oclusiva: en posición inicial de palabra tras pausa, o precedido de las consonantes *n* o *l.* Se articula apoyando la lengua contra los dientes superiores impidiendo, momentáneamente, la salida del aire. Suena fuerte. Se representa fonéticamente como [d] (dibujo 1).

b) Fricativa: precedido de vocal, o de cualquier consonante, excepto *n* o *l.* Se articula aproximando la punta de la lengua al borde de los dientes superiores sin que llegue a tocarlos, permitiendo, de esta forma, la salida del aire (dibujo 2). Se representa fonéticamente como [đ]. Suena suave. Hay vibración de las cuerdas vocales.

Posición: aparece en cualquier posición; inicial de palabra *(**d**irecto),* inicial de sílaba interior *(sol**d**ado),* final de palabra *(Madri**d**)* y solo o agrupado con *r* *(**d**romedario).*

1

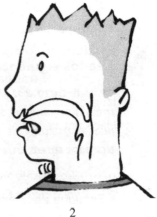

2

✔ *Aprende*

$$/d/ \begin{cases} \text{oclusiva (fuerte) [d]} \begin{cases} \text{pausa} + d \\ n, l + d \end{cases} \\ \\ \text{fricativa (suave) [đ]} \begin{cases} \text{vocal} + d \\ \text{consonante (no } n, l) + d \end{cases} \end{cases}$$

■ [d] oclusiva (fuerte) = pausa + d / n, l + d

(1: 83)

1 **Escucha y repite.**

debate, **d**ivino, **d**ama, **d**anés, **d**ragón, **d**roguería, lin**d**o, pen**d**iente, espal**d**a, mol**d**e, un **d**álmata, con **d**esprecio, el **d**rama

2 **Escribe tres palabras con:**

d- inicial de palabra: ....

dr- inicial de palabra: ....

n, l + d: ....

■ **Ahora, léelas en voz alta.**

(1: 84)

3 **Escucha y completa con las palabras que faltan.**

El .... trabaja hasta el final ....

Llegaré con .... amigos el ....

Hace un .... me pongo la .... corta.

No tienen .... para comprar el ....

.... era un .... rumano.

■ **Escucha de nuevo y repite.**

[đ] fricativa (suave) = vocal + *d* / consonante (no *n*, *l*) + *d*

(1: 85)

4 **Escucha y repite.**

ma**d**era, mone**d**a, na**d**a, ma**d**re, pie**d**ra, cor**d**ón, or**d**en, una **d**elicia, la **d**roga, las **d**oce, unos **d**a**d**os, paz **d**ivina, por **d**emás, a**d**jetivo, a**d**mirar, e**d**a**d**, Valla**d**oli**d**

5 **Escribe tres ejemplos, usando el diccionario, con:**

vocal + *d*, *dr*: ....

vocal o consonante (no *n*, *l*) + *d*, *dr*: ....

-*d* (final de sílaba o palabra): ....

■ **Léelos en voz alta.**

(1: 86)

6 **Escucha y completa.**

Haz ese ....

La .... se ....

Es .... la energía que tiene para su ....

.... esos .... en mi ....

Te .... que mi .... hace un .... riquísimo.

■ **Escucha de nuevo y repite.**

(1: 87)

7 **Escucha y numera las palabras por orden de audición.**

drama ...   candado ...   Adra ...   sidra ...   dama ...

hada ...   toldo ...   sida ...   cardado ...   todo ...

1. **Forma pares con las palabras anteriores.**

....

....

(1: 88)

2. **Escucha y repite.**

(1: 89)

8 **Escucha y escribe [d] o [đ].**

...eman...a; cua...ro a...mirable; mun...o olvi...a...o; an...a ...e espal...as; cor...ón riza...o; el ...es...én con el ...es...én; ar...e en ...eseos; escu...o ...e ma...era; pare... ...e la...rillo; ...icho ...e mo...a.

■ Lee y graba el ejercicio anterior; escucha de nuevo y corrige tu pronunciación.

(1: 90)

9 **Escucha y completa.**

Tu perro me ha .... los .... la mano.

Tira el .... una vez.

Es .... pasear por el .... los Austrias.

.... los .... menos el ....

.... con la luz ....

■ Clasifica las palabras que has escrito según contengan [d] oclusiva o [đ] fricativa.

oclusiva [d]	fricativa [đ]

(1: 91)

10 **Escucha y escribe [d] o [đ].**

La ...u...a viene ...e un ...a...o,
...e un ...a...o que no he tira...o.
Con los ...e...os ...oy al ...a...o
y ...os ...oses he saca...o.
Le ...oy al ...a...o otra vez,
pero sólo saco un tres.

Laura Juliani

■ Lee el texto anterior en voz alta.

◆ **CONTRASTE** *t / d*

(1: 92)

 11 Escucha y repite.

tar**d**o / **d**ar**d**o	**d**echa**d**o / **t**echa**d**o	ce**t**ro / ce**d**ro
teja**d**o / **d**eja**d**o	**d**omar / **t**omar	co**t**o / co**d**o
tos / **d**os	**d**ragar / **t**ragar	ven**t**a / ven**d**a
tilo / **d**ilo	**d**enso / **t**enso	fal**t**a / fal**d**a

(1: 93)

 12 Marca con ✓ las palabras que oigas.

toro	tiente
drama	muerde
muerte	doro
duna	tuna
tiende	trama

■ **Relaciona las palabras anteriores formando pares y léelas en voz alta.**

(1: 94)

 13 Escucha y escribe.

..................., ..., ..., ...
..................., ...

■ **Agrupa las palabras anteriores formando parejas y léelas en voz alta.**

....
....

(1: 95)

 14 Escucha y completa con las palabras que faltan.

En la gran .... reinaba el ...., la .... era .... y
.... los .... llegaban a ella, con ....,
.... Un .... aparecieron .... granujas que se .... en la .... como ...., ...
.... las más bellas .... imaginables, las cuales poseían el ....
.... hacerse invisibles para .... persona que fuera necia
o no .... para ejercer su ....

■ Clasifica las palabras que has escrito según contengan [t], [d] oclusiva o [d] fricativa.

oclusiva [t], [d]	fricativa [đ]

7 Fonema /θ/

✔ **Estudia**

Fonema: /θ/

Descripción: fricativo, interdental, sordo.

Representación fonética: [θ]

Grafía: **C, c** + *e, i;* **Z, z** + *a, e, i, o, u.*

Pronunciación: la lengua se sitúa entre los dientes superiores e inferiores; no hay vibración de las cuerdas vocales (ver dibujo).

Posición: puede aparecer en cualquier posición; inicial de palabra *(zapato),* inicial de sílaba interior *(cazo),* final de sílaba interior o final de palabra *(azteca, pez).*

(1: 96)

1 **Escucha y repite.**

zeta, **z**amorano, **z**ócalo, **z**ue**c**o, **c**erilla, **c**ien, a**z**u**c**ena, **c**a**z**ar, me**c**er, i**z**quierda, pe**z** a**z**ul, pa**z** universal, lu**z** y sonido

> Cuando la última sílaba de una palabra termina en **-z** y la siguiente comienza por vocal, se unen en la pronunciación: *tez⌣oscura.*

-64-

(2: 1)

2 **Escucha y escribe.**

1. .... 8. ....
2. .... 9. ....
3. .... 10. ....
4. .... 11. ....
5. .... 12. ....
6. .... 13. ....
7. .... 14. ....

3 **Dicta a tu compañero diez palabras con z + a, o, u; c + e, i ; -z + vocal.**

.............., ..., ..., ..., ...,
.............., ..., ..., ..., ...,

■ **Copia ahora tú las palabras que él te dicte.**

.............., ..., ..., ..., ...,
.............., ..., ..., ...

(2: 2)

4 **Escucha y completa.**

1. Los ...., los .... y las .... están en flor.
2. El .... del .... se .... en tiempos de ....
sobre un antiguo ....
3. La .... de la .... que continúen los brotes de
....

■ **Escucha de nuevo y repite.**

✔ *Aprende*

En Hispanoamérica, en Canarias y en zonas de Andalucía los hablantes no distinguen entre /s/ y /θ/ y pronuncian la /θ/ como /s/; dicen *seresa* en vez de *cereza; sine* en vez de *cine, sien* en vez de *cien.* A este fenómeno se le llama **seseo,** y se acepta también como forma de pronunciación correcta. Sin embargo, en la escritura hay que diferenciar entre /s/ y /θ/ porque una palabra puede cambiar de significado si sustituimos una por otra, ej.: *caza / casa.*

(2: 3)

5 **Escucha y escribe.**

...ima / ...ima   a...ada / a...ada
...irio / ...irio   ca...ar / ca...ar
po...o / po...o   a...es / ha...es
...epa / ...epa   ri...a / ri...a
...umo / ...umo   lo...a / lo...a

■ Busca en el diccionario las palabras que no conozcas y luego escribe tres frases con ellas.

....

....

....

(2: 4)

6 **Escucha y numera por orden de audición.**

cazado ...	lazo ...	sebo ...	meses ...
meces ...	corzo ...	as ...	laso ...
sesada ...	sien ...	corso ...	cesada ...
abrazo ...	haz ...	casado ...	abraso ...
profetiza ...	cebo ...	profetisa ...	cien ...

■ Agrupa las palabras anteriores por pares según el ejemplo.

Ej.: *lazo / laso*

....

....

....

....

(2: 5)

7 **Escucha y escribe el trabalenguas.**

....

....

....

....

■ Ahora, léelo en voz alta.

Intenta descubrir la palabra oculta con las definiciones que te damos. Puedes ayudarte del diccionario.

...i r u e...a: fruta redonda, dulce y muy jugosa.

c......e r...l...: recipiente que sirve para cocinar.

a......u e l...: objeto donde muerde el pez.

...e r...: número que representa la falta de cantidad o valor.

...a r p a...o: golpe fuerte que da el animal con la pata.

(2: 6)

Escucha y escribe.

....

....

■ **Escucha de nuevo, repite y di qué fonemas producen un cambio de significado en las palabras anteriores.**

8 Fonema /s/

✔ **Estudia**

Fonema: /s/

Descripción: fricativo, alveolar, sordo.

Representación fonética: [s]

Grafía: **S, s.**

Pronunciación: se articula aproximando el ápice de la lengua a los alvéolos y dejando una pequeña abertura por la que sale el aire; las cuerdas vocales no vibran (ver dibujo).

Posición: inicial de palabra *(sabe)*, inicial de sílaba interior *(casa)*; final de sílaba interior *(casto)* y final de palabra *(mes)*.

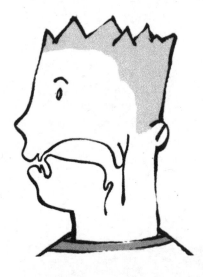

Cuando la última sílaba de una palabra termina en **-s** y la siguiente comienza por vocal, se unen en la pronunciación: *los ojos.*

(2: 7)

1 Escucha y repite.

sábado, sombrero, sello, sílaba, mesa, rosa, queso, pasillo, postre, espuma, cascada, tos, martes, francés, seis, revés, las olas, las horas, es azul, ¿vamos al cine?

(2: 8)

2 **Escucha y completa.**

Sólo sabiendo ....

a la .... se puede encontrar,

sílaba, ..., ...

Muda la piel, muda el ....,

sigilo, ..., ...

(2: 9)

3 **Escucha y escribe.**

....

....

....

....

■ **Clasifica las palabras del texto anterior que tienen s.**

s- inicial	-s- medial	-s final	vocal + -s final

En algunas zonas de España y en amplias zonas de Hispanoamérica, cuando la /s/ aparece en posición final de sílaba se pronuncia como aspirada [-h], ej.: *mohca* por *mosca; ahma* por *asma; lah casah* por *las casas*. En muchas ocasiones la /s/ desaparece cuando queda en posición final de palabra, ej.: *loh amigo,* por *los amigos.*

(2: 10)

4 **Escucha las siguientes frases. Fíjate en la aspiración de la /s/.**

¡Cuántas moscas hay en esta tasca!

Los niños trepan por los árboles.

El jardín huele muy bien gracias a los jazmines olorosos.

¡No le saques las castañas del fuego!

■ **Señala los casos de aspiración y los de pérdida de la /s/.**

9 Fonema /l/

✔ **Estudia**

Fonema: /l/

Descripción: lateral, alveolar, sonoro.

Representación fonética: [l]

Grafía: **L, l.**

Pronunciación: se pronuncia colocando el ápice de la lengua en los alvéolos, dejando una pequeña abertura lateral por donde sale el aire (ver dibujo). Hay vibración de las cuerdas vocales.

Posición: inicial de palabra *(lobo)*, inicial de sílaba interior *(pala)*, precedido de las consonantes *p, b, f, c, g (plato, pueblo, clavo, glaciar)*, en final de sílaba interior *(alto)* y final de palabra *(papel)*.

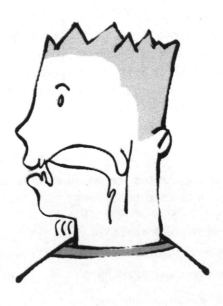

(2: 11)

1 **Escucha y repite.**

leyenda, labio, luna, ala, cola, pelota, pluma, plaza, blanco, blusón, flan, fleco, clara, clima, gloria, gladiolo, caldo, palma, alba, mil, papel, delantal, miel, el invierno, mil hormigas

2 **Dicta a tu compañero cuatro palabras con:**

l- inicial, *-l-* interior, *-l* final: ....

pl, bl, fl, cl, gl inicial o medial: ....

■ **Copia tú las palabras que te dicte tu compañero.**

....

....

(2: 12)

3 **Escucha y escribe.**

..............., ..., ..., ..., ...,

..............., ..., ..., ..., ...,

..............., ..., ..., ..., ...,

■ **Indica los casos en los que se produce el enlace de *l* + vocal.**

....

....

(2: 13)

4 **Escucha y escribe.**

1. ....

2. ....

3. ....

4. ....

5 **Lee en voz alta este trabalenguas.**

Las listas de listos están en listines,

listos y listas están en las listas;

si los listeros alistan a listas y listos,

los listines serán listas de listos y listas.

(2: 14)

6 Escucha y completa.

1. ca…a / ca…a   2. vi… / vi…   3. …azo / …azo

   ma…a / ma…a   mu…o / mu…o   …ando / …ando ….

   …oma / …oma   de…o / de…o   …ara / …ara

   …apona / …apona   nu…o / nu…o   …aca / …aca

   pon…e / pon…e   re…uce / re…uce

               4. espa…a / espa…a   5. ca…ado / ca…ado

                  ma…a / ma…a   ca…erilla / ca…erilla

                  ca…o / ca…o   ha…o / a…o

                  escu…ir / escu…ir   co…o / co…o

1. ¿Qué sonidos producen el cambio de significado en las palabras anteriores?

…………………………………………………………………………………………

…………………………………………………………………………………………

2. Escucha de nuevo y repite.

(2: 15)

7 Escucha y escribe.

…………………………………………………………………………………………

…………………………………………………………………………………………

■ Ahora, léelo en voz alta.

10 Fonema /r/

✔ Estudia

Fonema: /r/

Descripción: alveolar, vibrante simple, sonoro.

Representación fonética: [r]

Grafía: **-r-, -r.**

Pronunciación: se articula tocando con la lengua en los alvéolos e interrumpiendo momentáneamente la salida del aire (ver dibujo). Hay vibración de las cuerdas vocales.

Posición: entre vocales *(pero)*, al final de sílaba interior *(barco)* y en final de palabra *(mujer)*; puede ir agrupado a las consonantes *p, b, f, t, d, c, g (frío, trozo, dragón)*.

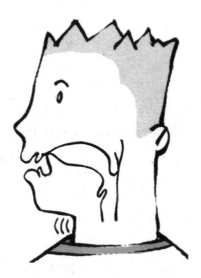

(2: 16)

1 Escucha y repite.

cero, oro, mirto, perla, mar, amor, prado, abrazo, trece, libro, dragón, edredón, frío, cofre, crío, ocre, granada, ingrato, comer albóndigas, mujer inquieta

(2: 17)

2 Escucha y escribe.

....

....

....

....

■ **Lee el texto en voz alta.**

(2: 18)

3 Escucha y completa.

...aso	...azo	...esta	bazo
...isa	cesta	...icción	caso
...asa	pingo	fase	...ingo
guita	...ase	pisa	gasa
ficción	...urito	...ita	purito

■ **Forma parejas con las palabras anteriores.**

....

....

....

(2: 19)

4 Escucha y escribe las palabras que faltan.

1. .... fue .... por los Reyes Católicos.

2. Los .... el .... y .... a las .... que habían actuado en el ....

3. .... y bebe la vida con ....

4. Te .... el .... para .... al gato y que no tenga ....

5. No seas tan .... mientras ...., ... me dijiste, los ....

■ **Lee las frases anteriores en voz alta.**

(2: 20)

5 Escucha y completa.

mue...e / mue...e   co...za / co...za

ce...ebro / ce...ebro   a...ma / a...ma

ma... / ma...   li...a / li...a

ye...mo / ye...mo   ha...o / a...o

cha...ada / cha...ada   ente...o / ente...o

mode...a / mode...a   ce...ebra... / ce...ebra...

to...do / to...do   pe...a / pe...a

■ **Graba la lectura del ejercicio anterior; escucha de nuevo y corrige tu pronunciación.**

(2: 21)

6 Escucha y subraya la palabra que oigas.

pira / pida   Granada / granara

colara / colada   salada / salara

lirio / lidio   pillara / pillada

cero / cedo   mida / mira

hora / oda   hada / ara

codo / coro   colmara / colmada

■ **Lee en voz alta los pares de palabras anteriores.**

(2: 22)

7 Escucha y escribe las palabras que oigas.

................, ..., ..., ..., ...,
................, ..., ..., ..., ...

■**Agrupa por pares las palabras anteriores.**

....
....

(2: 23)

8 Escucha y completa.

ra...a / ra...a   enca...ecer / enca...ecer

ca...illa / ca...illa   pe...a / pe...a

cu...a / cu...a   to...o / to...o

pa...a / pa...a   Vie...a / vie...a

vene...o/ vene...o   mi...ara / mi...ara

■ **Escucha de nuevo y repite.**

(2: 24)

9 Escucha y marca las palabras que oigas.

pira / pida / pila

lila / lira / Lina / Lida

podo / poro / polo

hora / oda / hola

Ana / hada / ara / ala

loro / lodo / Lolo

moda / mora / mola / mona

vela / veda / vena / vera

10 Acertijos.

1. Averigua el mensaje que hay escondido en el siguiente texto.

Cierto caballero enamorado de una dama la pidió en matrimonio; la dama le respondió con un mensaje diciéndole que se casaría con él si adivinaba cuál era su nombre y el color de su vestido de novia.

> Si el enamorado es buen entendido,
> aquí va el nombre de la dama
> y el color del vestido.

¿Cuál es el nombre de la dama y el color de su vestido de novia?

....

2. ¿Qué es?

> *Blanco por dentro,*
> *verde por fuera,*
> *si quieres que te lo diga*
> *espera.*

....

(2: 25)

3. Escucha el siguiente chiste.

—Señorita, por favor, ¿puede decirme a qué hora llega de Perú el vuelo de Iberia?

—Ese vuelo viene demorado, caballero.

—No le he preguntado el color, sino la hora de llegada, señorita.

¿Por qué el señor responde de esa forma?

....

11 Fonema /r̄/

✔ Estudia

Fonema: /r̄/

Descripción: alveolar, vibrante múltiple, sonoro.

Representación fonética: [r̄]

Grafía: **R-, r-; -nr, -lr, -sr; -rr-.**

Pronunciación: se articula haciendo vibrar dos o más veces seguidas el ápice de la lengua contra los alvéolos (ver dibujo). Las cuerdas vocales vibran.

Posición: en posición inicial de palabra (rojo), precedida de las consonantes n, l, s (enredo, alrededor, Israel) y entre vocales (arra).

(2: 26)

 1 **Escucha y repite.**

risa, **r**edondo, **r**ata, **r**abo, **r**ubí, co**rr**e, pe**rr**o, tie**rr**a, niños **r**ubios, israelí, hon**r**ado, en**r**edadera, en**r**ojecer, al**r**ededor

-77-

(2: 27)

 2 **Escucha y subraya la palabra que oigas.**

hierro / hiero   encerar / encerrar

coral / corral   carillo / carrillo

Ciro / cirro   toro / torro

cerro / cero   Corea / correa

curro / curo   barra / vara

barrios / varios   arre / are

■ **Lee en voz alta estos pares de palabras.**

(2: 28)

 3 **Escucha y escribe *r-, -rr-, -sr-, -nr-, -lr-*.**

...ojo   fe...oca...il

pa...anda   sie...a

ca...eta   do... ...íos

...egión   e...edade...a

...omántico   ...ibe...a

ho...o...oso   Ando...a

a...ededo...   ho...ado

(2: 29)

4 **Escucha las siguientes palabras y completa.**

...ana / ...ana   ...etal / ...etal

pa...a / pa...a   ...oma / ...oma

...oto / ...oto   ...ima / ...ima

ce...os / ce...os   zu...o / zu...o

ta...o / ta...o   ente...ado / ente...ado

...uso / ...uso   co...ea / Co...ea

...oca / ...oca   ...atón / ...atón

...egión / ...egión   ...osa / ...osa

 ■ **Escucha de nuevo y repite.**

(2: 30)

 5 **Escucha y completa.**

1. .... cómo la alta .... había dejado .... la .... del
....

2. Los .... son animales que .... y ....

3. .... la .... los .... descansaban a la .... de la ....

4. Las .... vez .... lejos de la .... de los ....

5. El .... con las manos .... a los .... atados a los
   .... de .... del ....

6 Lee en voz alta estos trabalenguas.

Erre con erre, cigarro;
erre con erre, barril;
¡qué rápido corren los carros
llevando el azúcar del ferrocarril!

Mariposa que en rosa se posa
no es horrorosa sino hermosa,
pues cuando una mariposa
en rosa se posa,
es que también es rosa hermosa,
y por ello se posa en esa rosa
la hermosa mariposa.

12 Fonema /n/

✔ *Estudia*

Fonema: /n/

Descripción: nasal, alveolar, sonoro.

Representación fonética: [n]

Grafía: **N, n.**

Pronunciación: se pronuncia colocando la punta de la lengua en los alvéolos, el aire sale por las fosas nasales; hay vibración de las cuerdas vocales (ver dibujo).

Posición: puede aparecer en posición inicial de palabra *(no),* en inicial de sílaba en interior de palabra *(lana),* al final de sílaba en interior de palabra *(cansado)* y en posición final de palabra *(tren).*

(2: 31)

 1 **Escucha y repite.**

niñera, nervioso, nación, noche, nublado, antena, bandeja, canalla, esquina, ilusión, examen, con agua, un hijo, algún estudiante, con azúcar

(2: 32)

2 Escucha y numera según el orden de audición.

peñas …   enseñada …   acuña …   sueña …   penas …

campana …   maño …   vano …   ensenada …   campaña …

teñido …   empana …   doña …   mano …   tenido …

suena …   acuna …   empaña …   baño …   dona …

1. Agrupa las palabras anteriores por pares.

....

....

(2: 33)

....

2. Escucha y repite.

3. Dicta a tu compañero tres pares de palabras similares a las anteriores. Luego, copia tú los tres pares que él te dicte.

...........................; ....; ....

(2: 34)

3 Escucha y completa.

…iño / …iño   ra…a / ra…a

…ueve / …ueve   …ulo / …ulo

co…o / co…o   …udo / …udo

te…or / te…or   Cro…o / cro…o

ca…a / ca…a   …ato / …ato

■ Lee en voz alta los pares de palabras anteriores.

(2: 35)

4 Escucha y escribe.

1. ....   5. ....   9. ....

2. ....   6. ....   10. ....

3. ....   7. ....   11. ....

4. ....   8. ....   12. ....

1. Relaciona los tríos de palabras que encuentres.

2. Lee los tríos en voz alta.

(2: 36)

5 **Subraya las palabras que oigas.**

despeña	Antonia
despeina	antaño
de moño	niño
demonio	nimio
uranios	huraños

■ **Intenta formar dos frases con las palabras anteriores.**

....

....

(2: 37)

6 **Escucha y escribe.**

....

....

....

....

7 **Corrige las siguientes frases sustituyendo *ni* por *ñ* donde corresponda.**

1. Este anio el ninio no tiene legañas por las manianas.

....

2. La cabania que tengo en la montaña está llena de telaranias.

....

3. Las niñas andaluzas llevan peinetas en el monio cuando se visten de flamencas.

....

4. Las campanas de la iglesia están sonando porque hay fuego en la campinia.

....

■ **Lee en voz alta las frases anteriores.**

8 **Lee este trabalenguas.**

El cielo está enladrillado,
¿quién lo desenladrillará?
El desenladrillador que lo desenladrille,
buen desenladrillador será.

■ **Escribe un trabalenguas parecido al anterior. Puedes empezar así:**

El niño está endemoniado,
¿quién ....
....
....
....

9 **Busca en esta sopa de letras ocho palabras que contengan al menos una consonante alveolar.**

L	I	M	O	N	E	R	O	B	P
I	H	E	R	R	B	O	U	Z	O
B	J	R	E	C	N	D	O	P	L
E	S	E	T	I	P	E	A	C	C
L	E	N	A	G	I	D	V	V	R
U	H	D	R	A	R	E	Z	A	A
L	L	E	F	O	H	R	X	B	M
A	Ñ	R	I	L	S	L	C	A	O
D	O	O	F	I	H	A	Ñ	B	L
A	S	C	E	N	S	O	R	Ñ	A
E	P	N	O	I	T	S	D	O	P

13 Fonema /ĉ/

✔ *Estudia*

Fonema: /ĉ/

Descripción: africado, palatal, sordo.

Representación fonética: [ĉ]

Grafía: **Ch, ch.**

Pronunciación: se articula apoyando la lengua en el paladar duro durante un breve espacio de tiempo y separándola inmediatamente un poco del paladar para dejar pasar el aire (ver dibujo). No vibran las cuerdas vocales.

Posición: inicial de palabra (**ch**arco) y en inicial de sílaba interior (co**ch**e).

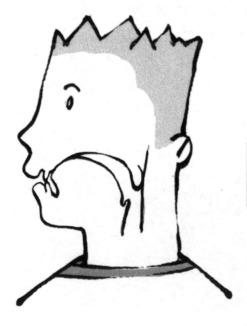

Los **sonidos africados** se caracterizan por poseer un momento oclusivo (cierre de los órganos articulatorios) seguido de un momento fricativo (abertura de los órganos por donde sale el aire).

(2: 38)

1 **Escucha y repite.**

chabola   **ch**ubasquero

chaleco   **ch**upete

chepa   ca**ch**ear

cheli   dere**ch**o

chicle   bizco**ch**o

chicarrón   ende**ch**a

chocar   can**ch**a

chorro   par**ch**e

(2: 39)

2 **Escucha y escribe.**

1. ....

2. ....

3. ....

4. ....
    ....

3 **Lee en voz alta los siguientes trabalenguas.**

Me han dicho un dicho
que han dicho que he dicho yo.
Ese dicho está mal dicho,
pues si lo hubiera dicho yo,
estaría mejor dicho
que el dicho que han dicho
que he dicho yo.

     Muchos chuchos achuchan,
     achuchan a la chacha mucho;
     si a la chacha achuchan,
     los chuchos achuchan mucho.

14 Fonema /y/

✔ *Estudia*

Fonema: /y/

Representación fonética: [y], [ŷ]

Descripción: fricativo, palatal, sonoro.

Grafía: **Y, y; hie-**.

Pronunciación: desde el punto de vista articulatorio tiene dos realizaciones.

a) Fricativa: cuando va precedido de vocal o de consonante que no sea *n* o *l* (*mayo, disyuntiva, la **hie**rba*). Se pronuncia aproximando la lengua al paladar duro, dejando una pequeña abertura en el centro por donde pasa el aire (dibujo 1). Se representa fonéticamente mediante [y].

b) Africada: cuando va en posición inicial de palabra tras pausa, o precedido de las consonantes *n* o *l* (*cón**y**uge, el **y**ate*). Para su pronunciación, la lengua se une al paladar duro, de forma parecida a la *ch* (dibujo 2). Se representa fonéticamente mediante [ŷ].

Tanto la [y] fricativa, como la [ŷ] africada son sonoras, es decir, hay vibración de las cuerdas vocales.

Posición: puede aparecer en inicial de palabra (***y**eso, **hie**lo*) y en posición inicial de sílaba interior de palabra (*ma**y**o*).

1

2

[y] fricativa = vocal / consonante (no *n, l*) + y

> Se puede escribir:
> *hi*erba o *y*erba
> *hi*edra o *y*edra

(2: 40)

 1 **Escucha y repite.**

ha**y**a, ra**y**ado, pu**y**azo, ra**y**uela, ho**y**o, hu**y**amos, re**y**es, jo**y**a, laca**y**o, tra**y**ec-to, bue**y**es, go**y**esco, ese **hie**rro, la **hie**rbabuena, la **hie**l, esta **hie**dra

(2: 41)

2 **Escucha y escribe.**

1. ....
2. ....
3. ....
4. ....
5. ....

[ŷ] africada = pausa / *n, l* + ŷ

(2: 42)

3 **Escucha y repite.**

ya, **y**ema, **y**eso, **y**odo, **y**ate, **y**uca, **y**esería, **y**ugoslavo, **y**acimiento, **y**antar, en-**y**untar, in**y**ectar, con**y**ugal, el **y**unque, un **y**ogur, un **y**elmo, el **hie**rro

Dicta a tu compañero tres palabras con:

 4

y-, hie- iniciales: ....

n, l + *y:* ....

■ **Ahora, copia tú las que él te dicte.**

....

....

....

(2: 43)

5 **Escucha y escribe.**

1. ....
2. ....
3. ....
4. ....
5. ....

(2: 44)

6 **Escucha y escribe.**

....
....
....
....
....
....

■ **Clasifica las palabras anteriores.**

[y] fricativa	*[ŷ] africada*

(2: 45)

7 **Escucha y completa con [y] o [ŷ].**

1. ...... llegan los ......
2. ...... pronto tendremos ......
3. Los valles de ...... fresca.
4. Los ...... se casan con ......
5. La ...... ataca en noches de luna llena.
6. ...... es lo mismo que ......

7. –¿Tu …… es un ……?

   –No creo, ¿por qué?

   –Porque por su forma de ser me pareció que practicaba el …………

(2: 46)

8 ▸ **Subraya la palabra que escuches de cada par.**

mayo / macho	roya / roña	halla / haya
yaya / chacha	payo / paño	poyo / pollo
aya / hacha	cuya / cuña	cayado / callado
raya / racha	maya / maña	valla / vaya
yema / Chema	cayada / cañada	olla / hoya

(2: 47)

1. Escucha y repite.

2. Escribe tres frases con las palabras que has subrayado. Luego, díctase-las a tu compañero.

....

....

....

3. Copia las frases que te dicte tu compañero.

....

....

....

✔ Estudia

Fonema: /ʎ/

Descripción: lateral, palatal, sonoro.

Representación fonética: [ʎ]

Grafía: **Ll, ll.**

Pronunciación: el predorso de la lengua se apoya en la parte central del paladar y el aire sale por los laterales de la lengua (ver dibujo). Las cuerdas vocales vibran.

Posición: aparece siempre en inicial de palabra *(llave)* o en interior a comienzo de sílaba *(calle)*.

(2: 48)

 1 **Escucha y repite.**

llanura, llamarada, llegar, lleno, llorón, llovizna, lluviosa, callada, malla, rollo, centollo, relleno, collar

(2: 49)

2 Escucha y escribe.

...................., ..., ..., ...,

...................., ..., ...

...................., ..., ...,

...................., ..., ...

■ Forma parejas con las palabras anteriores; después léelas en voz alta.

(2: 50)

3 Escucha y escribe.

....

....

■ ¿Qué fonemas producen el cambio de significado en los pares de palabras anteriores?

(2: 51)

4 Escucha y completa.

.... *los fallos es un* ....,

.... *que hay que fallar;*

pues si en los ...., ...,

.... *y no* .... *los* ....

        Llavines y ....,

        llevo porque .... *hay que* ....;

        si el .... *es para llevar* ....,

        .... *que llavines*

        también suelo ....

■ Lee los trabalenguas anteriores en voz alta.

En muchas zonas del mundo hispánico no se diferencia entre /ļ/ y /y/, pronunciándose ambas como [y]: dicen *caye* en vez de *calle; cabayo,* en vez de *caballo.* Este fenómeno recibe el nombre de **yeísmo.**

(2: 52)

5 Ahora vas a escuchar el segundo trabalenguas leído por un hablante yeísta. Observa la diferencia entre las dos lecturas.

16 Fonema /ɲ̯/

✔ *Estudia*

Fonema: /ɲ̯/

Descripción: nasal, palatal, sonoro.

Representación fonética: [ɲ̯]

Grafía: **Ñ, ñ.**

Pronunciación: se articula apoyando el dorso de la lengua en el paladar duro; el aire sale por las fosas nasales. Las cuerdas vocales vibran (ver dibujo).

Posición: inicial de sílaba interior de palabra *(niño)* y, con menos frecuencia, en inicial de palabra *(ñoño)*.

(2: 53)

 1 **Escucha y repite.**

ñoñería, añil, paño, cañaveral, escudriñar, otoñal, tañido, engaño, español, castaño, enfurruñada, cuñado

2 Escribe cuatro frases con palabras que tengan ñ.

....

....

....

....

(2: 54)

3 Escucha y completa.

le ga…a / lega…a   Ni…a / ni…a

acu…ar / acu…ar   pe…a / pe…a

a…o / a…o   ci…a / ci…a

ma…a / ma…a   empa…ada / empa…ada

le…a / le…a   ca…ita / ca…ita

pa…al / pa…al   ti…o / ti…o

■ Graba la lectura del ejercicio anterior; escucha de nuevo y corrige tu pronunciación.

4 Descubre la palabra oculta a través de la definición.

pre … ad …: cuando un mamífero hembra va a tener una cría.

gui … …: cierro sólo un ojo.

p … st … … …: vello que está en el párpado.

… a … ta … ue … a: lo llevan en la mano los bailaores de flamenco.

… … … … … … …: ave que vive en los tejados.

5 Lee y repite.

Ñato, gato, chato
nacho, ñacho, ñato,
ñacho igual a chato,
chato equivale a ñato.

17 Fonema /k/

✔ *Estudia*

Fonema: /k/

Descripción: oclusivo, velar, sordo.

Representación fonética: [k]

Grafía: **C, c** + *a, o, u;* **Qu, qu** + *e, i;* **K, k-.**

Pronunciación: se coloca la parte posterior de la lengua en el velo del paladar. No hay vibración de las cuerdas vocales (ver dibujo).

Posición: puede aparecer en posición inicial de palabra *(casa, queso, kilo),* en interior de palabra *(sacar)* y en posición final de sílaba *(acto, acción).* Puede ir sola o agrupada con *r, l (cromo, claro).* Igualmente puede aparecer a final de palabra, pero es poco frecuente *(coñac).*

(2: 55)

 1 **Escucha y repite.**

canela, clavo, clérigo, crematorio, cráneo, quejido, quijote, cocodrilo, culebra, secar, esclavo, acristianar, escribir, acróbata, saque, cacique, alcoba, encubrir, perfecto, instrucciones, bloc

Escribe c o qu.

...laudio ...iere ...omer ...alabacín relleno de ...eso.

El al...alde ...on...luyó la ...onferencia y los ...oncejales se ...ejaron del edicto.

Las ...onsonantes no son iguales ...e las vo...ales.

Los atra...adores atra...aron el ban...o ...on es...opetas.

(2: 56)

Escucha y escribe.

..............., ..., ..., ..., ...,
..............., ..., ..., ..., ...

■ **Agrupa las palabras anteriores por pares. Después dicta los pares a tu compañero en distinto orden.**

(2: 57)

Escucha y repite.

acción, acceso, introducción, lección, accidente, coacción, confeccionado, redactar

(2: 58)

Escucha y completa.

1. –¿...ieres ...ema ...on ...aramelo?
   –No, ...iero ...ocido ...atalán.
   –¿Y de postre?
   –...eso ...on nueces.

2. Las ...osas ... me ...omentaste ...arecen de ...edibilidad.

3. –¿Te ...ees lo ... te ha ...ontado ...armela?
   –Sí, por... sa...ó la ...arta ... le habían es...ito.

4. ...arlos, ...opia bien los apuntes de ...ase y luego ...ompruébalos en tu ...asa.

5. ¡...armen se ...dó bo...abierta al ver las in...eíbles piruetas de los a...óbatas del cir...o!

■ **Lee en voz alta el ejercicio anterior.**

6 Lee en voz alta estos trabalenguas.

A Cuesta le cuesta
subir la cuesta,
y en medio de la cuesta,
va y se acuesta.

> *El consumo me consume,*
> *consume nuestro consumo,*
> *consume al que consume y*
> *consume al que no consume.*

✔ Observa

> La letra *x* del alfabeto cuando va seguida de vocal se lee como *ks*; ej.: *taxi* [táksi].
>
> Cuando la letra *x* va seguida de consonante se lee como *s*; ej.: *mixto* [místo].

(2: 59)

7 Escucha y repite.

examen, taxi, tóxico, exagerar, nexo, auxilio, óxido, exposición, texto, excursión, extracto, mixto, explicar, extremo, contexto

18 Fonema /g/

✔ Estudia

Fonema: /g/

Descripción: oclusivo, velar, sonoro.

Representación fonética: [g] y [ǥ]

Grafía: **g** + *a, o, u;* **gu** + e, *i;* **gü**e, **gü**i.

Pronunciación: este fonema tiene dos realizaciones.

a) Oclusiva: en posición inicial de palabra detrás de pausa, o precedido de la consonante *n*. Se articula tocando con el postdorso de la lengua en el velo del paladar, impidiendo que salga el aire; suena fuerte (dibujo 1). Se representa fonéticamente como [g].

b) Fricativa: precedido de vocal, o de cualquier consonante, excepto *n*. Se articula aproximando el postdorso de la lengua al velo del paladar sin que llegue a tocarlo, permitiendo así el paso del aire; suena suave (dibujo 2). Se representa fonéticamente como [ǥ].

Posición: puede aparecer en inicial de palabra *(**g**ato),* en interior de palabra o inicial de sílaba *(a**g**osto)* o agrupado a las consonantes *r, l (a**g**rio, **g**lobo)* y en final de sílaba interior *(do**g**ma).*

1

2

✔ Aprende

$$/g/ \begin{cases} \text{oclusiva (fuerte) [g]} \begin{cases} \text{pausa} + g \\ n + g \end{cases} \\ \\ \text{fricativa (suave) [g]} \begin{cases} \text{vocal} + g \\ \text{consonante (no } n) + g \end{cases} \end{cases}$$

[g] oclusiva (fuerte) = inicial tras pausa + g / n + g

(2: 60)

1 Escucha y repite.

gallo, gota, guapo, guerrero, guía, grabado, gramo, grillo, glacial, gloria, hongo, rango, sangre, en Granada

(2: 61)

2 Escucha y escribe.

1. .... 6. ....
2. .... 7. ....
3. .... 8. ....
4. .... 9. ....
5. .... 10. ....

■ Ahora, lee en voz alta las palabras anteriores.

3 Escribe tres ejemplos de cada grupo.

g- inicial de palabra: ....

gr-, gl- inicial de palabra: ....

n + g: ....

■ Léelos en voz alta.

-98-

(2: 62)

4 Escucha y completa.

1. ...itaron al verlo cubierto de san...e.
2. Me produce una enorme an...ustia tanta in...atitud.
3. ...ato con ...uantes no caza ratones.
4. Un ...ía nos ha contado un ...acioso suceso.
5. ...itarras y panderetas acompañaban el baile de la cín...ara.

■ **Escucha de nuevo y repite.**

[g] fricativa (suave) = vocal + g / consonante (no n) + g

(2: 63)

5 Escucha y repite.

agua, arruga, liga, iglesia, siglas, alegre, tigre, carga, alguien, rasguño, dogma, ignorante, la guerra, unos guantes, al galope, cruz grande

6 Dicta a tu compañero dos palabras de cada grupo.

g-, gue-, güi- en posición inicial: ....
-gr-, -gl- entre vocales: ....
-g final de sílaba: ....
consonante (no n) + g: ....

■ **Escribe tú las palabras que él te dicte.**

(2: 64)

7 Escucha y completa.

1. A...adezco el encar...o de impartir esa asi...natura.
2. En a...osto viajaremos a ...alicia.
3. El dedo más ...ueso de la mano es el pul...ar.
4. La insi...nia de los pere...inos de Santia...o es la concha.
5. Au...usto, no jue...es con los ...obos llenos de a...ua.
6. Al...o de ese noviaz...o sabíamos ya.

■ **Escucha otra vez y repite.**

(2: 65)

8 Escucha y escribe [g] o [g̣].

...an...rena, ...rie...o, va...ancia, muchos ...rumos, re...ata ...randiosa, ...uiso sin ...anas, un ...ranado ...rande, lu...ar de cate...oría

(2: 66)

9 Escucha y escribe [g] o [g̣].

1. Nin...uno baila bien el tan...o.

2. En ...ranada conocí a un ...uapo ...uitarrista.

3. La i...lesia es un lu...ar sa...rado.

4. Ha sido una ven...anza indi...na y san...rienta.

5. El ...re...oriano es un canto muy anti...uo.

6. Es un eni...mático jefe de ...obierno.

 ■ **Escucha de nuevo y repite.**

◆ **CONTRASTE** *k* / *g*

(2: 67)

10 **Escucha y repite. Después graba la lectura de estos pares; escucha de nuevo y corrige tu pronunciación.**

canso / ganso	gasta / casta	laco / lago
codo / godo	cordura / gordura	traga / traca
grasa / crasa	galesa / calesa	secar / segar
coleta / goleta	goma / coma	recado / regado
guiso / quiso	manca / manga	plaga / placa

(2: 68)

11 **Escucha y numera por orden de audición las siguientes palabras.**

carca ...	pego ...
gorro ...	carga ...
cama ...	rasco ...
peco ...	corro ...
rasgo ...	gama ...

1.Agrupa las palabras anteriores formando pares.

(2: 69)

 2. Escucha y repite.

(2: 70)

12 **Escucha y escribe.**

·······························

·······························

·······························

·······························

·······························

(2: 71)

13 **Escucha el siguiente texto y añade** *c, qu, k, g* o *gu.*

A…ella mañana Mi…el no tenía tiempo para sa…ar la va…a al prado; era mejor tenerla cer…a, por ejemplo, en el tejado; ¿en el tejado? ¡Sí, en el tejado! Por…e la …asa de Mi…el estaba …ubierta de mus…o y de tierra vegetal, y por eso …recía en él …ran …antidad de hierba y flores.

Y no era tan difícil …omo podáis …reer lle…ar hasta el tejado con la va…a. La …asa de Mi…el estaba …onstruida en la ladera de una montaña; no había más …e subir por ella hasta un pe…eño cobertizo y de allí pasar al tejado.

La va…a se …edó muy …ontenta allí y se puso a …omer con …ran apetito la hierba que arran…aba con su len…ua.

19 Fonema /x/

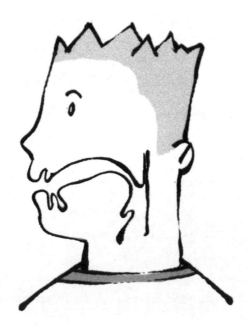

✔ *Estudia*

Fonema: /x/

Descripción: fricativo, velar, sordo.

Representación fonética: [x]

Grafía: **J, j** + *a, e, i, o, u (jabón, jefe, jirafa, joven, julio)* y **G, g** + *e, i (generoso, girasol).*

Pronunciación: se pronuncia aproximando el postdorso de la lengua al velo del paladar, dejando un espacio para que el aire salga continuamente (ver dibujo). No hay vibración de las cuerdas vocales.

Posición: aparece, fundamentalmente, en inicial de sílaba *(jarabe, mejoría),* rara vez lo encontramos en posición final de palabra *(reloj).*

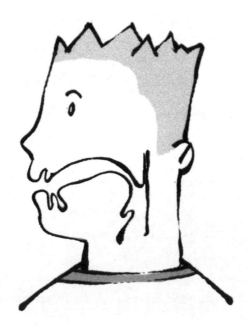

(2: 72)

1 **Escucha y repite.**

jamón, jeque, jirón, jornada, jugador, general, gitano, mojado, viajero, lejía, rojo, regente, recogida, carcaj, boj

(2: 73)

2 **Escucha y escribe. Después, léelo en voz alta.**

.... se ....,
y sus ....
se .... a los ....
de aquellos ....
que se .... como ....

(2: 74)

3 **Escucha y escribe.**

1.	6.	11.	16. ....
2.	7.	12.	17. ....
3.	8.	13.	18. ....
4.	9.	14.	19. ....
5.	10.	15.	20. ....

1. Agrupa las palabras anteriores por pares.

....
....

2. ¿Cuáles son los fonemas que diferencian los pares?

....

(2: 75)

3. Graba la lectura de los pares anteriores. Escucha y corrige tu pronunciación.

(2: 76)

4 **Escucha y completa.**

1. Tenía las .... por el calor.
2. Los .... de la .... suavizaron el .... del .... de los ....
3. .... cada .... las .... secas de su ....
4. Los .... emprendieron su .... en una .... tarde de invierno.

(2: 77)

5 **Escucha y completa.**

.... verano, la vida en el .... era muy ....
El .... dorado .... la verde avena y en
los prados se .... y amontonaba el .... recién
.... Sobre ellos volaban las .... de .... patas
..............., hablando el idioma .... aprendieron
de sus madres. Y alrededor de los ....
.... profundos .... de ....
.... donde nadaban .... los patos y los cisnes. En
medio de .... se levantaba una casa ....
con grandes .... a su alrededor. Por sus paredes ....
espesas enredaderas .... hundían sus raíces en el agua.
¡............... .... y .... verano eran realmente deliciosos y ....!

■ **Ahora, lee el texto en voz alta.**

La aspiración de /x/
En algunas zonas de España y en amplias zonas de Hispanoamérica la /x/
se realiza como aspirada, con una articulación muy parecida a la [h] inglesa.
Ej.: *muher*, en vez de *mujer*.

(2: 78)

6 **Escucha el siguiente texto.**

Un loro joven se cobijaba en las ramas de un melocotonero pero una
gran tormenta derribó el árbol, que cayó al río. El loro trató de huir pero
la lluvia era tan intensa que no lo dejaba volar, por lo que no podía ale-
jarse de la tormenta. Miró hacia abajo y vio un grueso tronco flotando
sobre el agua; se posó en él y juntos continuaron corriente abajo.

■ **Subraya las palabras que tengan aspiración de /x/.**

Parte V

LA SÍLABA

La sílaba

Sílaba: sonido o conjunto de sonidos que se pronuncia en una sola emisión de voz.

El centro de la sílaba o núcleo lo constituye siempre una vocal.

Acompañando a esa vocal pueden ir también consonantes, bien delante del núcleo *(pe-lo)* o bien detrás del núcleo *(as, al-to);* en ocasiones el núcleo puede estar formado por un diptongo *(ca-mión).*

Las sílabas que componen las palabras pueden ser átonas (aquellas que se pronuncian sin acento, ej.: *ra-bo, me-són)* o tónicas (aquellas sobre las que recae el acento, ej.: *a-ma, lá-piz).*

Tipos de sílabas más frecuentes en español:

1. C (consonante) V (vocal): *ca - sa*
2. CVC: *con - tar*
3. V: *o - so*
4. VC: *an - tes*

También pueden aparecer otras combinaciones:

1. CCV: *tra* - ba- jo
2. CCVC: *tren*
3. VCC: *ins* - pi - rar
4. CVCC: *cons* - te - la - ción

Pertenecen siempre a la misma sílaba las consonantes:

p, b, f, c, g + r, l

t, d + r

Ej.: *a* - *bra* - zo, no *ab* - *ra* - zo

Divide las siguientes palabras en sílabas.

belén, árbol, nochebuena, turrón, mazapán, lotería, inocentes, puestos, cabalgata, familia, comilona, felicidad, sueños, campanada, chimenea, nieve, diciembre, trineo

 También puede formar el núcleo de la sílaba un diptongo (D); ej.: *cai-ga*.

 Clasifica las siguientes sílabas según el esquema al que respondan.

co - me - no - si - ta - tan - tra - lo - ba - ción - cro - mu - gui - can - le - gra - al - di - mi - ca - rra - te - voz - fo - a - ro

CV	VC	CCV	CVC	V	CDC

■ Ahora forma nueve palabras relacionadas con la música combinando las sílabas anteriores.

....

....

....

 Busca en esta sopa de sílabas seis monumentos españoles.

LA	CA	SI	TA	DEL	LA	BRA	DOR
SA	AL	BRON	CAS	RE	CA	TOR	FA
GRA	SO	HAM	SIR	FAS	AL	MA	DO
DA	LA	RO	BRA	JE	DE	NO	LE
FA	ME	BLE	ZA	QUI	DAD	PLA	TO
MI	LLO	SOL	DO	VO	SI	TA	DE
LIA	YA	RRA	EN	CA	VER	NO	DRAL
ÑA	DOR	FAL	AL	DA	NI	GA	TE
SO	VA	GUE	MI	ME	U	DRI	CA
RIAL	CO	ES	DEL	RIO	TE	NAS	MO

4 **Relaciona cada palabra con el esquema silábico correspondiente.**

1. insoportable

2. diccionario

3. enmarañar

4. asesoramiento

5. conspiración

6. interrogante

a) VC·CV·CV·CVC

b) VC·CV·CV·CVC·CV

c) VC·CV·CVC·CV·CCV

d) CVCC·CV·CV·CDC

e) V·CV·CV·CV·CDC·CV

f) CVC·CD·CV·CD

5 **Escribe tres palabras con los siguientes esquemas silábicos.**

1. CV + CV: ...., ..., ...

2. CVC + CVC: ...., ..., ...

3. VC + CV: ...., ..., ...

4. CCV + CV + CV: ...., ...

■ **Escribe tres palabras en las que la última sílaba tenga:**

1. -CDC: ...., ..., ...

2. -CVC: ...., ..., ...

3. -VC: ...., ..., ...

6 **El juego de las sílabas encadenadas.**

Reglas del juego:

1. Los alumnos se colocan en semicírculo.

2. El profesor dice una palabra y, a continuación, el alumno de uno de los extremos tiene que formar una nueva con la última sílaba de esa palabra; y así sucesivamente.

Ej.: Profesor: *ca-sa*

    Alumno 1: *sa-po*

    Alumno 2: *po-bre*, ...

Parte VI

LA ACENTUACIÓN

La acentuación

Como has visto en la parte anterior, las sílabas pueden ser tónicas o átonas; sílaba tónica es aquella sobre la que recae el acento. Según esto, las palabras se clasifican en:

1. **Agudas:** si la sílaba tónica es la última de la palabra.
   Ejs.: *or-de-na-**dor**, po-bla-**ción***

2. **Llanas:** si la sílaba tónica es la penúltima de la palabra.
   Ejs.: *pa-**si**-llo, **dé**-bil*

3. **Esdrújulas:** si la sílaba tónica es la antepenúltima de la palabra.
   Ejs.: ***ám**-bi-to, se-**má**-fo-ro*

4. **Sobresdrújulas:** si la sílaba tónica es la anterior a la antepenúltima de la palabra.
   Ejs.: *con-**tán**-do-se-lo, **mán**-da-me-lo*

El acento no siempre se marca gráficamente. La marca gráfica (´) se llama tilde o acento ortográfico y su colocación está sujeta a las siguientes reglas:

1. **Palabras agudas:** llevan tilde las que terminan en vocal *(nací)*, en *-n* *(maletín)* y en *-s (anís)*.

2. **Palabras llanas:** llevan tilde cuando terminan en consonante que no sea *-n* o *-s* *(túnel, cárcel)*.

3. **Palabras esdrújulas y sobresdrújulas:** llevan siempre tilde *(cántaro, búscamelo)*.

(2: 79)

1 **Escucha y marca la sílaba tónica de las siguientes palabras.**

parador	agencia	aventura
pantalon	mapa	billete
hotel	brujula	tunel
restaurante	autobus	indigena
senderismo	estacion	botiquin
mochila	camino	ruta turistica
botas	camara fotografica	rapidos
guantes	cantimplora	maritimo
meson	fiambrera	playa

1. **Pon tilde a las palabras anteriores cuando sea necesario.**

2. **Clasifícalas.**

agudas	llanas	esdrújulas

2 **Escribe doce palabras relacionadas con la comida.**

....

....

....

....

■ **Clasifícalas.**

agudas	llanas	esdrújulas

(2: 80)

3 Escucha y coloca la tilde cuando sea necesario.

1. alfonsi
2. dentista
3. salvacion
4. salvavidas
5. serial
6. caratula
7. pincel
8. alcazar
9. pagina
10. poblacion
11. colegial
12. hambriento

13. inseguridad
14. calificacion
15. preterito
16. catastrofe
17. veinticinco
18. escarcha
19. imbecil
20. lingüistica

> Observa cómo en español algunas palabras pueden cambiar de significado si variamos la posición del acento. Ej.: **cá**ntara (sustantivo); can**ta**ra (verbo); canta**rá** (verbo).

(2: 81)

4 Escucha y repite.

. cortes / cortés
rabio / rabió
palmara / palmará
fines / finés

recalco / recalcó
canso / cansó
leche / le eché
íntimo / intimó

(2: 82)

5 Escucha las siguientes palabras y marca la sílaba acentuada.

termino / termino
rozo / rozo
carne / carne
calculo / calculo

rapto / rapto
cascara / cascara
uso / uso
habilito / habilito

 I. Escucha de nuevo y coloca la tilde donde sea necesaria.

 2. Graba la lectura de los pares de palabras anteriores; escucha de nuevo y corrige tu pronunciación.

Ordena los siguientes elementos y pon la tilde cuando sea necesario.

Ej.: *lo / te / comprando: compróndotelo*

se / leer / lo:

....

se / las / explicando:

....

la / afeitando / nos:

....

te / lo / comer:

....

nos / recomendando:

....

los / calentando / me:

....

os / lo / colocando:

....

> Algunas palabras cambian la sílaba tónica según se utilicen en singular o en plural. Ej.: *régimen-regímenes*.

 Forma el plural de las siguientes palabras y coloca la tilde cuando sea necesario.

carácter: ....   hipótesis: ....   colchón: ....

hábil: ....   canon: ....   examen: ....

lápiz: ....   árbol: ....   alférez: ....

 Explica por qué llevan tilde o no las palabras de las frases siguientes.

1. En el ángulo oscuro del salón estaba el violín.
2. El agua del cántaro está más fresca que la del grifo.
3. Sácame del coche el maletín que dejé olvidado.
4. El césped del jardín de mi casa está plagado de tréboles.
5. Este médico operó del corazón a mi primo Julián en un hospital de Madrid.

Las palabras con una sílaba no llevan nunca tilde *(fe, son)*, excepto cuando hay dos con la misma forma y distinta función:

dé (verbo) / *de* (preposición)   *él* (pronombre) / *el* (artículo)

mí (pronombre) / *mi* (adj.posesivo)   *té* (nombre) / *te* (pronombre)

tú (pronombre) / *tu* (adj. posesivo)   *sí* (afirmación) / *si* (condición)

sé (verbo) / *se* (pronombre)   *qué* (pron. int.) / *que* (conj./pron. relativo)

9 Elige la opción correcta en cada caso.

1. No *(se/sé)* .... *(si/sí)* .... voy a comer con *(el/él)* .... en *(el/él)* .... bar.

2. Entre *(tu/tú)* .... y *(tu/tú)* .... novia, me tenéis loco.

3. Dijo *(que/qué)* .... quería *(que/qué)* ...... Juan *(se/sé)* .... diera un baño.

4. ¿*(Te/Té)* .... tomas un *(te/té)* .... conmigo?

5. ¡Ha dicho *(que/qué)* .... *(si/sí)* ....!

6. Esto es para *(mi/mí)* ...., por *(mi/mí)* .... aniversario.

Acentuación de diptongos, triptongos e hiatos:

1. **diptongos:** la vocal más abierta del diptongo es sobre la que recae el acento; se siguen las reglas de uso de la tilde. Ejs.: *ca-**béis*** (aguda terminada en s), *can-**ción*** (aguda terminada en n), ***sue**-lo* (llana terminada en vocal), ***huér**-fano* (esdrújula);

2. **triptongos:** siguen las reglas de uso de la tilde; ésta se coloca sobre la vocal abierta. Ejs.: *o-**diéis*** (aguda), *a-pre-**ciáis*** (aguda) llevan tilde porque son palabras agudas terminadas en -s; ***miau, buey*** no llevan acento por ser monosílabos;

3. **hiatos:** formados por vocal *i, u* + *a, e, o*, llevan acento sobre la vocal *i, u* para indicar que cada una de esas vocales pertenece a una sílaba diferente, independientemente de las reglas de uso de la tilde. Ejs.: ***tí**-o*, ***rí**-o*, *ma-**íz***, *ba-**úl***, ***pú**-a*.

(2: 83)

10 **Escucha las siguientes palabras y marca la sílaba acentuada.**

1. atavio
2. grua
3. tuetano
4. solitario
5. buho
6. caida
7. vinieras

8. peine
9. acentua
10. Caucaso
11. oido
12. rie
13. ataud
14. caloria

I. Coloca la tilde cuando sea necesario y divide las palabras en sílabas.

1. atavio: ....
2. grua: ....
3. tuetano: ....
4. solitario: ....
5. buho: ....
6. caida: ....
7. vinieras: ....

8. peine: ....
9. acentua: ....
10. Caucaso: ....
11. oido: ....
12. rie: ....
13. ataud: ....
14. caloria: ....

2. Clasifícalas.

agudas	llanas	esdrújulas

 (2: 84)

11 **Escucha el siguiente texto y coloca las tildes necesarias.**

Despues los dos huerfanos se encontraron con el fraile, que iba al limite de sus fuerzas, con la lengua fuera. Habia estado andando mucho rato y no podia tirar de su alma. El fraile se echo sobre el suelo y acabo durmiendose sobre la hierba. Tenia la cabeza cubierta con el sombrero y entre sus manos sostenia un rosario. Mientras tanto, los huerfanitos se entretenian tirando piedras al rio.

■ **Clasifica las palabras del texto anterior en agudas, llanas y esdrújulas.**

Parte VII

LA ENTONACIÓN

La entonación

✔ *Estudia*

Cuando hablamos no lo hacemos de forma continua, sino que a menudo realizamos breves interrupciones; estas interrupciones se denominan pausas. Las pausas sirven para separar frases o grupos fónicos y cada frase va acompañada de una entonación diferente. Las pausas, cuando son breves, se representan en la escritura por medio de la coma (,) y del punto y coma (;); para
las más largas se emplean el punto y seguido (.), los puntos suspensivos (…) y el punto y aparte (.).

A veces, en español, una misma frase puede cambiar de significado según el lugar en el que se coloque la pausa.

(2: 85)

 1 **Escucha las siguientes frases.**

1. Felipe pregunta cuándo llega el tren.

2. Felipe pregunta: "¿Cuándo llega el tren?".

3. Felipe, pregunta cuándo llega el tren.

Observa las diferencias de significado de cada una de las frases anteriores: la frase 1 enuncia un hecho, en la frase 2 Felipe pregunta él mismo por un hecho y en la frase 3 se ordena a Felipe que pregunte por un hecho.

(2: 86)

 2 **Escucha y marca las pausas correspondientes en cada una de las siguientes frases.**

No quiero salir

No quiero salir

Juan compra un libro

Juan compra un libro

Pedro dime dónde están las llaves

Pedro dime dónde están las llaves

Paloma estudia mientras yo leo

Paloma estudia mientras yo leo

Paloma estudia mientras yo leo

 ■ **Escucha de nuevo y repite.**

(2: 87)

 3 **Escucha con atención.**

Ha llegado Pedro.

¿Ha llegado Pedro?

¡Ha llegado Pedro!

> El tono ascendente lo vamos a señalar así: ↗, y el tono descendente así: ↘

Como ves, estas frases que parecen idénticas no lo son. ¿Qué es lo que las diferencia? Solamente el ascenso o descenso del tono de la voz al final de la frase. Estos ascensos y descensos del tono son muy importantes, porque una misma frase entonada de forma distinta puede cambiar de significado y, además, porque el lenguaje adquiere de este modo mayor expresividad.

Así, un descenso acusado del tono de la voz al final de un grupo fónico (ej.: *Hoy hace sol* ↘) señala el final de un enunciado; el ascenso del tono sirve tanto para las oraciones interrogativas (ej.: *¿Vendrás mañana* ↗*?*), como para indicar que aún no hemos terminado de hablar (ej.: *Mañana no vendré* ↗ *porque me voy de viaje*).

FRASES SIMPLES CON UN SOLO GRUPO FÓNICO

✔ *Estudia*

Entonación descendente. Es característica de las frases:

— enunciativas: *Hoy es domingo.* ↘

— imperativas: *Lávate las manos.* ↘

— exclamativas: *¡Qué calor!* ↘

— interrogativas encabezadas por un pronombre interrogativo: *¿Dónde estás?* ↘

(2: 88)

4 **Escucha y repite.**

> Los signos de interrogación y exclamación se utilizan delante y detrás de una pregunta ¿...?, o de una exclamación ¡...!

Me voy.

El perro no come.

El cine está lleno.   Anda más deprisa.

¡No puedo más!   ¿Cómo te llamas?

¡Qué aburrimiento!   ¿Cuándo volverás?

¡El lunes es fiesta!   ¿Qué quieres?

Ven aquí.

Haced los deberes.

5 **Escribe dos frases de cada uno de estos tipos.**

enunciativas: ....

....

imperativas: ....

....

exclamativas: ....

....

interrogativas introducidas por pronombre: ....

....

■ **Léelas en voz alta.**

(2: 89)

6 **Escucha y escribe ¿? o ¡! cuando sea necesario.**

1. Marta no ha venido a clase
2. Quién está contigo
3. No me digas
4. Hazte ahora mismo la cama
5. Qué guapísima estás
6. La abuela me va a leer un cuento

■ **Graba la lectura de las frases anteriores; escucha de nuevo y corrige tu entonación.**

✔ *Estudia*

> **Entonación ascendente.** Es característica de las frases:
> — interrogativas que no comienzan con un pronombre   interrogativo:
>   *¿Ha sonado el timbre?* ↗
> — interrogativas con pronombre cuando se pregunta de forma cortés:
>   *¿Cuánto cuesta?* ↗

(2: 90)

7 **Escucha y repite.**

¿Vendrás conmigo de compras?

¿Estás ya de vacaciones?

¿Cómo te llamas?

¿No ha llegado José Ramón?

¿Deseaba otra cosa más?

¿Es éste tu coche nuevo?

(2: 91)

8 **Escucha y marca ↗ o ↘.**

1. ¿Quién te quiere a ti?
2. ¿Cuántas chocolatinas te quedan?
3. ¿Dónde has puesto mi abrigo?
4. ¿Hay excursión a Toledo el sábado?
5. ¿Podemos comenzar la clase?
6. ¿Qué te he dicho?

(2: 92)

9 **Escucha y escribe ¡!, ¿?, ↗, ↘.**

1. Tengo una casa en la sierra

2. Me las pagarás

3. Quieres que estudiemos juntos

4. El marido y la mujer eran altísimos

5. Tienes miedo

6. Quién eres tú para decirme esas cosas

7. Ojalá llueva durante todo este mes

8. Qué buscas aquí

9. Éste es el abrigo de mi hermana

10. Nunca había visto una persona como tú

■ **Graba tu lectura de las oraciones anteriores; escucha de nuevo y corrige tu entonación.**

(2: 93)

10 **Escucha y escribe ¡!, ¿?, ↗, ↘.**

(En una fiesta de cumpleaños)

Belén: Hombre, qué tal

Pepa: Feliz cumpleaños, Belén Esto es para ti.

Belén: Muchas gracias. Qué me has regalado

Pepa: Es una sorpresa. Ábrelo.

Belén: A ver, a ver... Ah Si es una brújula

Pepa: Claro, para que no te pierdas.

Belén: Qué graciosa Anda, entra. Ya han llegado los demás.

Luis, Antonio y Rosa: Hola, Pepa.

Pepa: Habéis empezado sin mí

Antonio: Ya estamos todos

Luis: Y la tarta Podemos comerla ya

Rosa: Traed las velas

Todos: Cumpleaños feliz, cumpleaños feliz

FRASES COMPUESTAS POR DOS GRUPOS FÓNICOS

Ej.: *A quien madruga, Dios le ayuda.*

Grupo fónico
1

Grupo fónico
2

Al final del primer grupo fónico se produce un ascenso del tono; el último grupo termina con un descenso.

Este mismo esquema se produce en las interrogativas dobles del tipo:
¿Vienes ⬈ o te quedas ⬊?

(2: 94)

 11 ▷ **Escucha y repite cuidando mucho la entonación.**

Al mal tiempo, buena cara.

Al salir de clase, me encontré con Begoña.

Allá donde fueres, haz lo que vieres.

Cuando sonó el teléfono, estábamos comiendo.

Quien no quiera venir, que se marche.

Entre el clavel y la rosa, su majestad escoja.

¿Estudias o trabajas?

¿Compramos una planta o un ramo de claveles?

No hay mal que por bien no venga.

El aceite de oliva todo el mal quita.

FRASES CON MÁS DE DOS GRUPOS FÓNICOS

Se pueden clasificar en:

1. Enumeraciones separadas por comas; la entonación de cada grupo fónico siempre es descendente: *Los chicos son altos ⬊, fuertes ⬊, jóvenes ⬊.*
2. Enumeraciones cuyos dos últimos grupos fónicos van unidos por la conjunción *y*; se produce un descenso del tono en todos los grupos fónicos, excepto en el penúltimo, en el que hay un ascenso del tono de la voz: *Los chicos son altos ⬊, fuertes ⬊, jóvenes ⬈ y simpáticos ⬊.*

(2: 95)

12 Escucha y escribe ↘ o ↗.

1. El día está gris (   ), lluvioso (   ), muy triste (   ).

2. Cazaron codornices (   ), perdices (   ), conejos (   ), liebres (   ).

3. Los niños iban disfrazados de pollitos (   ), payasos (   ), hadas (   ), mendigos (   ) y princesas (   ).

4. Ve por esa calle oscura (   ), y al final encontrarás la puerta del jardín (   ).

5. La casa era grande (   ), espaciosa (   ), luminosa (   ) y muy bonita (   ).

6. Anduvimos por valles (   ), caminos (   ), trigales (   ).

7. Pon en la cartera los libros (   ), los cuadernos (   ) y los lápices (   ).

8. En los aperitivos pusieron croquetas (   ), tortilla (   ), queso (   ), jamón (   ) y pastelillos de hojaldre (   ).

1. Lee las frases anteriores en voz alta prestando atención a la entonación.

2. Escribe cuatro frases parecidas.

....

....

....

....

(2: 96)

13 Escucha el siguiente texto y señala el tipo de entonación de las frases.

Fray Gabriel, después de comer, pidió agua. El tío Camuñas tosió una vez o dos, se levantó, bajó al sótano del castillo, se metió en la despensa, salió de la despensa y se presentó de nuevo en el comedor, donde fray Gabriel y los tres jóvenes esperaban muertos de sed.

—No hay agua —dijo el tío Camuñas.

—¡Que traigan vino! —exclamaron contentos los tres jóvenes.

El tío Camuñas se pasó la mano por la cabeza y, después de pensarlo mucho, se decidió a hablar. Les dijo que la situación era angustiosa, que él no temía a nada, ni al cansancio ni a la falta de sueño. ¡Ni siquiera a la muerte!

—¡Lo malo es la sed! ¡Se mueren hasta las ratas!

—¿No recordáis haber visto una rata que estaba gorda? —dijo uno de los jóvenes a sus compañeros.

Tras mucho meditar, fray Gabriel preguntó:

—¿Decís que vosotros habéis visto una rata?

—Hemos visto no una rata, sino cinco o seis; no queríamos decirlo para no asustar a los demás.

—¿Dónde las habéis visto?

—En el sótano de la torre.

—Pues, si hay ratas, es que hay agua. ¡Habrá que buscarla!

Juan Muñoz, *Fray Perico en la guerra* (texto adaptado).

Recapitulación

✔ Juegos

 La rueda de las letras. Formad dos grupos. Tenéis que contestar todas las preguntas que se hagan en un tiempo máximo de 4 minutos. Gana el equipo que tenga más respuestas correctas o que complete toda la rueda.

Preguntas

Grupo 1

A: color del cielo.

B: ciudad en la que se celebraron los Juegos Olímpicos de 1992.

C: país sudamericano.

Ch: embutido de carne picada de cerdo y pimentón; se come mucho en España.

D: tenemos cinco en cada mano.

E: forma pareja con *ser*.

F: país donde está la ciudad de Niza.

G: sitio para meter los coches.

H: lo que tienen los padres.

I: billete de .... y vuelta.

J: la pata del cerdo.

K: mil gramos.

L: limpiar con agua.

Ll: para abrir las puertas.

M: pronombre posesivo.

N: pronombre indefinido negativo.

Ñ: (contiene la ñ) están en los dedos.

O: animal que da lana.

P: objeto que sirve para no mojarnos en los días de lluvia.

Q: (contiene la q) adverbio de lugar, en este sitio.

R: lo contrario de *lento*.

S: una ciudad andaluza.

T: suelo, pared y ....

U: los españoles las comemos el 31 de diciembre.

V: sinónimo de *triunfo*.

W: capital de Estados Unidos.

X: (contiene la x) prueba de conocimientos.

Y: embarcación de lujo.

Z: para vestir los pies.

Grupo 2

A: lo contrario de *después*.

B: lo opuesto a *subir*.

C: sinónimo de *hogar*.

Ch: (contiene la *ch*) embutido de forma alargada que se hace con carne de cerdo y es muy popular en Alemania.

D: objeto en forma de cubo en cuyas caras hay dibujados unos puntos y que se usa para juegos de mesa.

E: país donde se encuentra Toledo.

F: lo contrario de *guapo*.

G: ciudad en la que se encuentra La Alhambra.

H: letra que en español no se pronuncia.

I: título que llevan las hijas de los reyes españoles.

J: baile típico de Aragón.

K: el canto del gallo.

L: cincuenta en números romanos.

Ll: caída de gotas de agua de las nubes.

M: persona que cura a los enfermos.

N: adverbio de negación.

Ñ: letra más representativa de la palabra *español*.

O: está en medio del *sol*.

P: moneda española.

Q: alimento elaborado con leche de vaca, de oveja o de cabra.

R: animalito que provoca miedo en los elefantes y en algunas personas.

S: palabra que se utiliza para afirmar.

T: recipiente para el té.

U: representa la unidad.

V: ciudad italiana de la que eran naturales Romeo y Julieta.

W: bebida alcohólica que se extrae de la destilación de la cebada.

X: (contiene la *x*) sinónimo de *ser*.

Y: hembra del caballo.

Z: última letra del alfabeto.

 El juego del *ni sí ni no*.

Reglas:

1. Dos estudiantes se sientan enfrente de sus compañeros.

2. Los compañeros van preguntando alternativamente a cada uno de los dos jugadores.

3. Las preguntas pueden ser de cualquier tipo, pero los jugadores no pueden contestar ni sí ni no, contestar con las mismas palabras más de tres veces, ni utilizar la mímica.

Ejemplo:

John: ¿La palabra novia tiene un diptongo decreciente?

Mary: Tiene un diptongo creciente.

Charles: ¿Quieres suspender el examen de gramática?

Akiko: No.

Akiko queda eliminada porque ha contestado con la palabra NO. Rápidamente otro compañero ocupará su lugar.

 ## El juego del STOP.

Reglas:

1. Puede ser un juego oral o escrito.

2. Se puede participar en pequeños grupos o individualmente.

3. Se reparten las fichas entre los alumnos de cada grupo.

4. El profesor escribe en la pizarra una letra o una sílaba.

5. El alumno deberá escribir en cada fila una palabra que empiece por la letra o la sílaba de la pizarra.

6. El tiempo de cada ronda será el estimado por el profesor. Se trata de decir STOP cuando un alumno complete una fila.

7. Ganará el grupo o el alumno que complete su ficha en menos tiempo.

Ejemplo de ficha:

Nombre	Apellido	Ciudad	Comida	Objeto	Animal

PARTE VIII

✔ Comprensión auditiva

 1 **Escucha y señala la repuesta correcta.**

1. **¿Para qué llama Pedro a su madre?**

a) Para comer con ella.

b) Para que le dé la receta del cocido.

c) Para decir que no le espere a comer.

2. **¿Qué necesita comprar Pedro para hacer el cocido?**

a) Un kilo de garbanzos, una pechuga de gallina y dos morcillas.

b) Un kilo de garbanzos, una pechuga de gallina y una morcilla.

c) Medio repollo, cuatro judías verdes y un jamón.

3. **¿Cuándo deben ponerse los garbanzos en remojo?**

a) Dos días antes.

b) Un día antes.

c) El mismo día.

4. **¿Cómo se hace el cocido?**

a) Cociendo todos los ingredientes a la vez.

b) Cociendo en primer lugar las verduras, el chorizo y las morcillas

c) Cociendo primero los garbanzos con la carne y los huesos y añadiendo después el resto de los ingredientes.

 2 **Escucha y responde a las siguientes preguntas.**

1. **¿Cuál es el verdadero nombre de Alaska?**

a) Olga Segarra.

b) Olvido Gara.

c) Sagra de la Huerta.

2. **¿En qué año se disuelve el grupo Alaska y los Pegamoides?**

a) En el otoño de 1984.

b) En el verano de 1982.

c) En el otoño de 1982.

3. ¿En qué programa de televisión participaba?

a) En *La bola de cristal.*

b) En *La bola mágica.*

c) En *Pepi, Luci, Bom.*

4. ¿Cómo se llama el último grupo que ha formado?

a) Fangoria.

b) Dinarama.

c) Radio Futura.

(2: 99)

Escucha y elige la respuesta correcta.

1. ¿Qué son las Posadas?

a) Unas fiestas juveniles.

b) Unas fiestas populares.

c) Unas fiestas nacionales.

2. ¿En qué fecha se celebran?

a) Del 6 al 15 de diciembre.

b) Del 16 al 24 de noviembre.

c) Del 16 al 24 de diciembre.

3. ¿Qué se recuerda en estas fiestas?

a) El viaje de María y José a Nazaret.

b) La visita de María a su prima Isabel.

c) El viaje de María y José de Nazaret a Belén.

4. ¿Qué suelen hacer los niños?

a) Comen frutas y dulces.

b) Rompen una piñata.

c) Encienden luces y tiran cohetes.

Soluciones

PARTE I. EL ALFABETO

Ejercicio 1

sobrina: ese-o-be-ere-i-ene-a

nieto: ene-i-e-te-o

cuñada: ce-u-eñe-a-de-a

consuegro: ce-o-ene-ese-u-e-ge-ere-o

yerno: i griega-e-ere-ene-o

bisabuelo: be-i-ese-a-be-u-e-ele-o

hija: hache-i-jota-a

tataranieta: te-a-te-a-ere-a-ene-i-e-te-a

Ejercicio 2

brazos	nuez	cintura
mejilla	rodilla	gemelos
barbilla	espalda	ombligo
pestañas	cadera	cabello

■ barbilla, brazos, cabello, cadera, cintura, espalda, gemelos, mejilla, nuez, ombligo, pestañas, rodilla

Ejercicio 3

Toledo, Sevilla, Córdoba, Guadalajara, Mallorca, Granada, Segovia, Tenerife. Son ciudades e islas de España.

Ejercicio 4

ch: [ĉ]	y: [y], [ŷ]	z: [θ]
rr: [r̄]	ll: [ḷ]:	c: [k], [θ]
f: [f]	ñ: [ɲ]	v: [Ƅ], [b]

Ejercicio 5

[y]: y

[θ]: c + e, i; z + a, o, u

[b]: b, v

[k]: c + a, o, u; qu + e, i; k

[ḷ]: ll

[x]: j + a, o, u; g + e, i

[ŋ]: ñ

[m]: m

[g]: g + a, o, u; gu + e, i

Ejercicio 6

Estoy en una isla de un gran océano. En esta isla no hay muchas palmeras pero se ven unas cabezas grandes y antiguas muy cerca de la playa.

&: e   <: s   *: a

Solución: Isla de Pascua.

■ Respuesta libre.

Ejercicio 7

Respuesta libre.

PARTE II. LAS VOCALES

Lección 1. Fonema /i/

Ejercicio 1

idea, ibérico, hispánico, cocina, castigo, carpintero, jabalí, discutir, difícil, útil

Respuesta libre.

Ejercicio 2

Respuesta libre.

■ vivo, visita, bolígrafo, lápiz, piscina, iris, cigarrillo, Madrid, pisar, risita

Ejercicio 3

risa / rasa	firma / forma
aquí / acá	pisada / posada
pilota / pelota	pía / púa
ficha / fecha	pira / pura

Ejercicio 4

queso / quiso

épica / época

checa / chica / choca

arriba / arroba

presa / prisa / prosa

allí / allá

raja / reja / rija / roja / ruja

cursi / curso / curse / cursa / corso(a)

lesa / lisa / losa / lusa

grata /grita / gruta

■ Respuesta libre.

 ## Ejercicio 5

1. Mi bolígrafo se ha quedado sin tinta.

2. El árbitro ha pitado gol.

3. Miguel es un chico tímido y delgado, casi como un fideo.

4. Marisa es una niña de risa fácil.

 ## Ejercicio 6

casi indecente, mi infancia, rubí intenso, voy inmediatamente, alhelí y clavel, mili interminable, allí hice arroz, hay ingleses, mi informe, viví irregularmente

Respuesta libre.

Ejercicio 7

Respuesta libre.

Lección 2. Fonema /e/

Ejercicio 1

ese	decena	ser
hermano	papel	cárcel
eje	saber	cable
época	leer	cofre
cereza	ataque	

Respuesta libre.

Ejercicio 2

beber	eco	traje
flamenco	debe	élite
cordel	pésimo	filete
contener	enfermo	estirpe
médico	clave	célibe

■ Respuesta libre.

Ejercicio 3

aje / eje	aleta / alita
pelo / palo	rizar / rezar
beba / baba	pesada / posada
asesto / asusto	misa / mesa
presa / prisa	cerro / zurro
trece / trazo	cene / cine
abre / abro	pisar / pesar
roto / reto	

1. Respuesta libre.

2. Respuesta libre.

Ejercicio 4

este estado, bébete el vino, este emperador, vente enseguida, hace el desayuno, trece españoles, llueve estrepitosamente, sabe español, dulce helado, oye esto

Respuesta libre.

 Ejercicio 5

1. La leche está fresca.

2. El correo llega con retraso.

3. El escritor se merece un homenaje.

4. Verde que te quiero verde / Verde viento, verdes ramas.

5. Esther mece al nene en la cuna.

6. El pescador lleva la cesta llena de peces.

■ Respuesta libre.

 Ejercicio 6

Oye el repique o repiqueteo
de ese repiqueteador
que tan bien repiquetea.

Lección 3. Fonema /a/

 Ejercicio 1

alma	partido
ala	mañana
antes	manteca
sala	danzar
paso	acá
cabeza	mal

Respuesta libre.

Ejercicio 2

paleta	jalea
tapadera	habitante
salida	la alcoba
naturaleza	canela
mantequilla	cremallera

 ■ Respuesta libre.

 Ejercicio 3

la **a**ltura, margarit**a a**marilla, er**a a**legre, est**á a**gria, camis**a a**zul, lleg**a ha**sta aquí, l**a a**ncha sala, pen**a a**marga, se encamin**a ha**cia la nada, cristalin**a a**gua

Respuesta libre.

 Ejercicio 4

meza	rato
brezo	sale
lanza	pesar
pista	malta
Rita	mole
acá	halle

1. Posibles respuestas

meza / maza	rato / reto
brezo / brazo	sale / sala
lanza / lanzo	pesar / pasar
pista / pasta	malta / multa
Rita / rata	mole / mola
acá / aquí	halle / halla

2. Respuesta libre.

Ejercicio 5

1. Ana, sal a la ventana.

2. En la charca cantan las ranas.

3. Marta amasa pan todas las mañanas.

4. La pradera está llena de azucenas.

5. Mamá, haz la salsa de albahaca.

Ejercicio 6

Posibles respuestas

amado	madera
caballo	pesar
marzo	popular
dado	comida
hábil	amabilidad

Ejercicio 7

Respuesta libre.

■ Amo y ama se aman,

el ama ama a su amo,

el amo ama a su ama;

si el amo ama

y el ama ama,

aman y aman el amo y el ama.

 Ejercicio 8

—Mamá, mamá, el plátano está blando.

—¿Y qué te dice?

(Está blando / Está hablando.)

Lección 4. Fonema /o/

 Ejercicio 1

ostra, ópera, oral, obeso, cordón, costero, moño, norma, barrote, manojo, oloroso, otro, sol, calor, cantó

 Ejercicio 2

montón, melocotón, sillón, goloso, dolorido, cobrador, barbero, hojarasca, pobrecillo, retrato

 1. Respuesta libre.

2.

o- sílaba inicial	-o- sílaba medial	-o sílaba final
montón, goloso, dolorido, cobrador, hojarasca, pobrecillo	melocotón, goloso, dolorido.	montón, melocotón, sillón, goloso, dolorido, cobrador, barbero, pobrecillo, retrato

 Ejercicio 3

moro, acoso, poste, meto, cala, corre, morada, rozo, poso, vocal, boba, público

1. Posibles respuestas

moro / mora	cala / cola	poso / puso
acoso / acaso	corre / corro	vocal / bucal
poste / peste	morada / mirada	boba / viva
meto / moto	rozo / rizo	público / pública

2. Respuesta libre.

Ejercicio 4

os**o ho**rmiguero	vient**o ho**rrible
och**o ho**mbres	pis**o o**ctavo
vin**o o**loroso	roj**o o** rosa
alg**o o**scuro	cas**o o**lvidado
muchach**o ho**gareño	estudi**o o**bligado

 Ejercicio 5

1. Pablo no olvidó los recados.

2. Cantó el coro de Córdoba.

3. Se abre la flor con el calor del sol.

4. Tengo un roto horroroso en el pantalón.

5. Todo lo que contó lo sacó de este tomo.

6. El ojo del amo no engorda al caballo.

7. Lo opuesto a llorar es reír.

8. No pienso obedecerte.

■ 1. Pablo no‿olvidó los recados.

   2. Cantó el coro de Córdoba.

   3. Se abre la flor con el calor del sol.

   4. Tengo un roto‿horroroso en el pantalón.

   5. Todo lo que contó lo sacó de este tomo.

   6. El ojo del amo no engorda al caballo.

   7. Lo‿opuesto a llorar es reír.

   8. No pienso‿obedecerte.

Ejercicio 6

Respuesta libre.

Lección 5. Fonema /u/

 Ejercicio 1

uno, último, puño, tuyo, butaca, rumor, disputa, turquesa, consulta, gandul, cactus, cónsul, espíritu, gurú, Perú

 Ejercicio 2

brújula	bucle	cálculo
desnudo	fruta	futuro
grumo	tubo	humo
nudillo	numeroso	cucurucho

 ■ Respuesta libre.

 Ejercicio 3

espíritu **hu**mano, bamb**ú hú**medo, **su hu**mildad, tribu **hu**ndida, tisú **hú**n-garo, **tu u**niforme, Per**ú u**rbano, **su u**so, tab**ú u**niversal

Ejercicio 4

asado / usado	musa / mesa	frito / fruto
dudo / dado	ruta / reta	muro / miro
lana / luna	pereza / pureza	anudaba /anidaba
curo / coro	puso / poso	usado / osado

 ■ Respuesta libre.

Ejercicio 5

1. Tu humor no es único.
2. A la muñeca le puso un vestido azul.
3. No me gusta que fumes puros.

Ejercicio 6

Respuesta libre.

Ejercicio 7

El sol es un globo de fuego,

la luna es un disco morado.

Una blanca paloma se posa

en el alto ciprés centenario.

Los cuadros de mirtos parecen

de marchito velludo empolvado.

¡El jardín y la tarde tranquila!

Suena el agua en la fuente de mármol.

■ Respuesta libre.

PARTE III. DIPTONGOS, TRIPTONGOS, HIATOS

Lección 1. Diptongos

 Ejercicio 1

ia: lidia, feria, ortopedia, gloria, cambiante, Cantabria, sobria, mi abrigo, casi azul, si acaso

ie: ciego, miedo, tiempo, liebre, siembra, mi hermano, gentil y hermosa, dime si eres tú

io: matrimonio, envoltorio, violín, mediocre, ambición, Pili o Pilar, Dolores y Orlando, mi hombre

iu: ciudadana, triunfante, viudedad, acuárium, mi humildad, casi humano, universal y único

 Ejercicio 2

1. tuvieras	6. mi humanidad
2. labios	7. diecisiete
3. aciago	8. solariego
4. casi anciano	9. gentil y ufano
5. cementerio	10. endiablada

1.

ia: aciago, casi anciano, endiablada

ie: tuvieras, diecisiete, solariego

io: labios, cementerio

iu: mi humanidad, gentil y ufano

2. Respuesta libre.

Ejercicio 3

1. Era un edificio de piedra casi emblemático.

2. El Imperio romano no tuvo piedad con los cristianos.

3. Sonia cumplió dieciocho años el miércoles siete de junio.

4. Las islas Canarias nunca tienen invierno.

5. ¿Quieres conocer a mi hermana Nuria?

■ ia: cristianos, Sonia, Canarias, Nuria

ie: piedra, casi emblemático, tiene, piedad, miércoles, siete, tienen, invierno, quieres, mi hermana

io: edificio, Imperio, cumplió, dieciocho, junio

iu: Ø

Ejercicio 4

Respuesta libre.

■ Respuesta libre.

Ejercicio 5

Respuesta libre.

Ejercicio 6

ua: paraguas, cuadrícula, enaguas, guarda, cuarenta, enjuagar, averiguación, cuarto, cuajada, espíritu áspero ue: tuétano, puedes, envuelto, juego, cigüeña, Cuenca, acuerdo, suerte, muérdago, acueducto

ui: ruidoso, suicidio, Luisa, muy, huidizo, ruina, fui, cuidado, espíritu inquieto, tribu impetuosa

uo: acuoso, quórum, fatuo, antiguo, conspicuo, cuota, averiguo, santiguo, impetuoso, arduo

Ejercicio 7

acosa, contiguo, celo, cuarta, cieno, labio, contigo, cielo, carta, acuosa, ceno, lavo

- acosa / acuosa   cuarta / carta
  contiguo / contigo   cieno / ceno
  celo / cielo   labio / lavo

Ejercicio 8

La luna me llevaba al cementerio por un angustioso camino.
Por favor, Ana, escribe las cartas en cuartillas.
¡No puedes comerte el tuétano de los huesos!
Averigüé dónde estaba aquella antigua ruta.

- Respuesta libre.

Ejercicio 9

Respuesta libre.

Ejercicio 10

ai: hay, fraile, gaita, paisaje, faisán, la ilusión, nada igual, muda y sorda, pluma y papel, niña incorregible

ei: ley, rey, seis, peineta, sabéis, come y calla, padre y madre, verde intenso, hombre y mujer, gente inaguantable

oi: hoy, estoy, coincidir, boina, estoico, heroico, mucho y mal, negro infierno, algo inesperado, el gato y la gata, suceso increíble

Ejercicio 11

1. oigo	6. afeitado
2. caimán	7. Teide
3. merecéis	8. aislado
4. escucháis	9. estoy
5. gasoil	10. sois

■ ai: caimán, escucháis, aislado

   ei: merecéis, afeitado, Teide

   oi: oigo, gasoil, estoy, sois

 Ejercicio 12

1. dabais	7. balas	13. traiga	19. doy
2. Cairo	8. hoy	14. des	20. caro
3. reno	9. rey	15. hay	21. reino
4. peina	10. dabas	16. do	22. traga
5. aire	11. deis	17. a	23. re
6. o	12. are	18. pena	24. bailas

1.

ai / a	ei / e	oi / o
dabais / dabas	reino / reno	hoy / o
traiga / traga	peina / pena	doy / do
aire / are	rey / re	
hay / a	deis / des	
bailas / balas		
Cairo / caro		

 2. dabais / dabas   bailas / balas   rey / re

    traiga / traga   Cairo / caro   deis / des

    aire / are   reino / reno   hoy / o

    hay / a   peina / pena   doy / do

Respuesta libre.

Ejercicio 13

La sartén tiene aceite hirviendo.

A las seis vendré a buscarte.

Péinate bien para el baile.

Compra veinte helados de vainilla.

Este paisaje me entusiasma.

■ Respuesta libre.

 Ejercicio 14

au: aunque, automóvil, pausa, taurino, paulatino, la unión, causa universal, para usted

eu: europeo, euforia, deudor, neutro, reunión, este huracán, viste de uniforme, se siente ufano, ¿qué quiere usted?, tiene humedad

ou: lo untó, acuerdo unánime, curso universitario, el chico huyó, cinco unidades

Ejercicio 15

1. Paula	7. sauna
2. sana	8. zeta
3. Eulogio	9. elogio
4. eros	10. restara
5. restaura	11. pala
6. Ceuta	12. euros

1. Paula / pala; sana / sauna; Eulogio / elogio; Eros / euros; restaura / restara; Ceuta / zeta.

 2. Paula / pala; sana / sauna; Eulogio / elogio; Eros / euros; restaura / restara; Ceuta / zeta.

Ejercicio 16

El euro es la nueva moneda europea.

A causa de la humedad se ha cerrado el aula.

Los asistentes a la reunión estaban eufóricos.

Es fuerte como un león.

No salgas, porque hay viento huracanado.

Los europeos son los habitantes de Europa.

Las lluvias aumentaron el caudal del río.

Fuera hay un niño que grita ¡ay!

Comeremos entre pausa y pausa.

La aurora de rosáceos dedos.

■ Respuesta libre.

Ejercicio 17

Los niños siempre son más conmovedores en invierno, cuando el timbre del despertador suena de noche como una cotidiana sentencia de destierro y los párpados se resisten a despegarse ante una taza de cola-cao caliente; el mundo es un asco que hay que atravesar con el abrigo bien cerrado, con la fortaleza imprescindible para no desfallecer en un aula humillada por los colores blancuzcos que vuelven pálido el aire.

■ Crecientes: **sie**mpre, inv**ie**rno, **cua**ndo, **sue**na, cotid**ia**na, senten**cia**, des**tie**rro, cal**ie**nte, b**ie**n, v**ue**lven

Decrecientes: destierr**o‿y**, ante‿**u**na, h**ay**, cerrad**o‿y**, fortalez**a‿i**mprescindible, **aula‿hu**millada, **ai**re

Lección 2. Triptongos

Ejercicio 1

iai: limpiáis, copiáis, mediáis, rabia incontenible, sucia y despeinada iei: odiéis, columpiéis, pronunciéis, a nadie interesa, pie infantil

uai: aguáis, Paraguay, apaciguáis, antigua historia, agua insípida

uei: buey, atestigüéis, averigüéis, apacigüe y tranquilice

Respuesta libre.

 ### Ejercicio 2

rabiáis, estudiáis, remediéis, aguáis, despreciéis, atestiguáis, distanciéis, cambiáis, despreciáis, ensuciéis, arduo ⁀ y difícil, lengua ⁀ imposible

 ■ Respuesta libre.

Ejercicio 3

¿Por qué no averiguáis la hora de salida de nuestro autobús?

He visto en Paraguay cómo araba un buey.

Si os ensuciáis los vestidos, os cambiáis.

Quiero que averigüéis la verdad.

No estudiéis con tan poca luz.

■ Respuesta libre.

Ejercicio 4

Respuesta libre.

Lección 3. Hiatos

Ejercicio 1

caótico, caoba, nao; paella, caedizo, traerás; veamos, línea, aldea; coágulo, toalla, oasis; mareo, paseo, feo; cohete, roer, coherencia; tía, día, queríamos; ríe, líe, críen; tío, río, estío; gradúa, sitúa, púa; acentúen, sitúen; ahí, país, raído; leí, reí, leísmo; oído, loísmo, heroína; aún, baúl, aúlla; Seúl, reúma.

Ejercicio 2

hay / ahí	ley / leí	continua / continúa
hacia / hacía	rey / reí	conspicua / capicúa
hoy / oí	pie / píe	

 Ejercicio 3

imp**í**a	limpia	voy	boh**í**o
se**í**smo	seis	re**ú**no	reuni**ó**
aula	a**ú**lla	o**í**do	odio
odia	d**í**a	a**ú**n	aunaba
volv**í**a	violín	t**í**o	tiovivo

Ejercicio 4

saúco: sa-ú-co	autobús: au-to-bús
Asia: A-sia	acentúa: a-cen-tú-a
labio: la-bio	aeropuerto: ae-ro-puer-to
sucia: su-cia	Jaén: Ja-én
venía: ve-ní-a	extraordinario: ex-tra-or-di-na-rio
muerde: muer-de	Aurelio: Au-re-lio
laísmo: la-ís-mo	cereales: ce-re-a-les
coherencia: co-he-ren-cia	meteoro: me-te-o-ro

Ejercicio 5

El m**ae**stro no quiere explicar todav**í**a el tema de la Cr**ea**ción.

Ahora mismo te doy las t**oa**llas limpias.

El r**í**o pasa cerca de la ald**ea**.

Ahí hay un niño que dice ¡ay!

El p**oe**ta recitará seis p**oe**mas con la música del l**aú**d.

Aún se oyen los c**ohe**tes de las fiestas.

Ejercicio 6

Respuesta libre.

Ejercicio 7

- *Diptongos:* aguacero, lluvia, nieve, aire, viento

  Hiatos: soleado, frío

PARTE IV. LAS CONSONANTES

Lección 1. Fonema /p/

 Ejercicio 1

papagayo	premio	aprisionar
peligro	procurar	desplegar
pintar	apego	aptitud
placa	deporte	captación
pliegue	capa	

Ejercicio 2

Respuesta libre.

- Respuesta libre.

Ejercicio 3

lepra; sopla la sopa; amplitud; capacidad; emplea el jabón para los platos; ve deprisa por el periódico; la empresa y el empleado.

■ Respuesta libre.

 Ejercicio 4

soplar, a pesar, peno, presa, pan, copa, pisa

■ Respuesta libre.

 Ejercicio 5

1. Te pido que me compres el pan de la panadería.

2. Me parece que la papeleta tiene premio.

3. España es un país de importantes poetas y pintores.

4. Pon en la pila los platos para lavar.

5. Por favor, empiecen el pleno sin Pablo.

Ejercicio 6

Respuesta libre.

Lección 2. Fonema /b/

 Ejercicio 1

bala	invento
vello	un valle
brazo	en barco
blanco	con broche
hombre	en vena

Ejercicio 2

Respuesta libre.

■ Respuesta libre.

Ejercicio 3

Voy a pasar unos días en Barcelona.

Durante el invierno sopla un viento fuerte.

Aquel hombre tiene los hombros enrojecidos por el sol.

Estoy pintando con brocha el casco de un barco.

Vicente tiembla de envidia.

■ Respuesta libre.

Ejercicio 4

abanico, robo, ciervo, cable, cebra, el botón, dos varas, a la brasa, obsesión, absurdo, Job

Ejercicio 5

Respuesta libre.

■ Respuesta libre.

Ejercicio 6

El babero de Avelina.

Navegamos unos días durante aquel verano abrasador.

Pásame el bocadillo y el vaso de vino, por favor.

Es un joven muy bromista.

Pensaba absorto bajo un árbol del jardín.

■ Respuesta libre.

Ejercicio 7

Aquí aƀundan los ƀalles de hierƀa fresca.

Biƀo angustiada con tus inƀentos.

El asombro le ha cambiado el semblante.

Me tiene embrujada con sus ƀromas.

Jacoƀ es un hombre caƀal.

■ Respuesta libre.

Ejercicio 8

liḃertad ✗	somḃrero ✓	esḃelto ✗
inḃierno ✗	laḃorable ✓ ✗	oḃjeto ✗
reḃaño ✓	sin ḃlanca ✓	emḃudo ✓
salḃaje ✓	hierḃa ✓	mis ḃrazos ✓
las ḃromas ✗	ḃreḃe ✗ ✓	laḃaḃo ✓ ✓
teleḃisión ✓		

■ Respuesta libre.

Ejercicio 9

bienvenido: bienḃenido

es búlgaro: es ḃulgaro

el brasero: el ḃrasero

cumbres borrascosas: cumḃres ḃorrascosas

los ciervos salvajes: los cierḃos salḃajes

absurda obsesión: aḃsurda oḃsesión

un blusón verde: un ḃlusón ḃerde

bebo cerveza en vaso: beḃo cerḃeza en ḃaso

vivo sin vivir en mí: biḃo sin biḃir en mí

■ Respuesta libre.

Ejercicio 10

1. brazo	9. cabra
2. robe	10. sabe
3. cava	11. bazo
4. sobre	12. sable
5. ambas	13. sobe
6. bota	14. brota
7. roble	15. visa
8. brisa	16. habas

1. brazo / bazo; robe / roble; cava / cabra; sobre / sobe; ambas / habas; bota / brota; brisa / visa; sabe / sable.

2. Respuesta libre.

Ejercicio 11

Respuesta libre.

Ejercicio 12

pata / bata

paño / baño

válida / pálida

bies / pies

pelado / velado

pisado / visado

vulgar / pulgar

prisa / brisa

vez / pez

Valencia / Palencia

cavilar / capilar

cubo / cupo

grabe / grape

lapa / lava

abarcar / aparcar

Ejercicio 13

1. poquilla, 2. óvalo, 3. pista, 4. ópalo, 5. vista, 6. vaso, 7. boquilla, 8. paso, 9. baño, 10. paño

■ baño / paño; ópalo / óvalo; poquilla / boquilla; pista / vista; vaso / paso.

Ejercicio 14

boda / poda

un pago / un vago

batín / patín

un vulgar pulgar

polo / bolo

 ■ Respuesta libre.

Ejercicio 15

Haɓía una ɓez un zapatero que llegó a ser tan poɓre que, al fin, sólo le quedó el trozo de cuero indispensable para faɓricar un par de ɓotas. Las cortó una noche, pensando traɓajarlas al día siguiente, y se fue a dormir. A la mañana siguiente fue a ɓuscar el traɓajo que haɓía preparado la ɓíspera y encontró acaɓado el par de ɓotas. El poɓre hombre no salía de su asombro: eran berdaderamente perfectas y primorosas.

- *oclusivo [p], [b]:* zapatero, poɓre, indispensable, para, par, pensando, preparado, ɓíspera, par, poɓre, hombre, asombro, berdaderamente, perfectas, primorosas.

  fricativo [ɓ]: haɓía, ɓez, poɓre, indispensaɓle, faɓricar, ɓotas, traɓajarlas, ɓuscar, traɓajo, haɓía, ɓíspera, acaɓado, ɓotas, poɓre

Lección 3. Fonema /m/

Ejercicio 1

manivela, mentira, mirada, mimbre, mosquito, mujer, amarillo, camilla, comienzo, semana, campana, siempre, ámbar, sombra, inmóvil, referéndum

Ejercicio 2

Respuesta libre.

- Respuesta libre.

Ejercicio 3

1. tomillo	9. somera
2. grabo	10. tomo
3. apaña	11. capilla
4. camilla	12. manco
5. topo	13. poción
6. banco	14. amaña
7. moción	15. sopera
8. tobillo	16. gramo

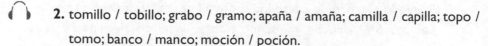

1. tomillo / tobillo; grabo / gramo; apaña / amaña, camilla / capilla; topo / tomo; banco / manco; moción / poción; somera / sopera.

2. tomillo / tobillo; grabo / gramo; apaña / amaña; camilla / capilla; topo / tomo; banco / manco; moción / poción.

Ejercicio 4

cava	vasa	cama
poto	moto	pasa
maja	par	baja
capa	masa	mar
coma	paja	coba
bar	boto	copa

1.

cava / capa / cama   coma / coba / copa

poto / moto / boto   bar / par / mar

maja / paja / baja   vasa / masa / pasa

2.

cava / capa / cama   coma / coba / copa

poto / moto / boto   bar / par / mar

maja / paja / baja   vasa / masa / pasa

Ejercicio 5

Los bomberos vienen muy veloces para apagar un incendio. Bocanadas de fuego y volutas de humo se ven salir por las ventanas de las viviendas incendiadas; muchas mujeres en un descampado cambian palabras de admiración cuando ven trabajar a sus hombres.

1. bomberos, muy, humo, muchas, mujeres, descampado, cambian, admiración, hombres

2. Respuesta libre.

Ejercicio 6

camello / cabello; aparece / amanece; lama / lana; mortal / portal.

```
P  O  L  L  E  M  A  C
R  L  J  R  L  A  M  A
F  L  K  E  L  R  A  X
E  E  L  A  A  Y  N  G
W  B  N  Ñ  T  I  E  U
O  A  P  A  R  E  C  E
L  C  D  W  O  T  E  H
Ñ  D  K  Q  M  S  C  P
L  A  T  R  O  P  V  R
```

Ejercicio 7

Respuesta libre.

Lección 4. Fonema /f/

Ejercicio 1

fila, fecha, farol, flauta, flecha, franco, fresa, afán, cofre, aflorar, inflar, huérfa-no, desfile

Ejercicio 2

Respuesta libre.

■ Respuesta libre.

Ejercicio 3

un golfo flaco, famoso flan, fresas frescas, falda de flores, enfoca el foco, fo-rro fino, se rifa un sofá, flauta africana, fiambre frío

■ Respuesta libre.

Ejercicio 4

feo / veo   fichero / bichero

poco / foco   paro / faro

pila / fila   forro / borro

fresa / presa   flan / plan

flanco / franco   frutal / brutal

■ Respuesta libre.

Ejercicio 5

1. frisa, 2. panal, 3. fan, 4. paja, 5. brisa, 6. forra, 7. van, 8. baja, 9. porra, 10. fanal, 11. prisa, 12. faja, 13. banal, 14. borra, 15. pan

1. van / fan / pan

forra / porra / borra

brisa / prisa / frisa

paja / baja / faja

banal / panal / fanal

2. Respuesta libre.

Ejercicio 6

En efecto, cuando estuvo de vuelta encontró un palacio, todo de mármol y con techos de oro, en lugar de la vieja casa. El palacio estaba rodeado de centinelas que prohibían la entrada. Detrás del palacio había un parque francés con toda clase de frutas y flores, que bajaba hasta un próximo río. Al frente se extendía una pradera verde y en el centro de la pradera había una formidable fuente de una piedra blanquísima. Allí estaban en fila unos pocos regimientos que iban a desfilar ante los ojos de la emperatriz.

1. Respuesta libre.

2. Respuesta libre.

Lección 5. Fonema /t/

 Ejercicio 1

tierra, tetera, tabaco, túnel, trineo, trastero, tronco, carretera, matar, estantería, pista, detrás, teatro, catástrofe, atmósfera

Ejercicio 2

Respuesta libre.
■ Respuesta libre.

 Ejercicio 3

1. Mi tía Margarita es la tornera de este convento.
2. Tómate la taza del té que tengo hecho en la tetera.
3. —¿Dónde están tus apuntes de matemáticas?
   —En el trastero, en la estantería que hay tras la puerta.
4. Angustias trabaja en el departamento de catástrofes naturales.

 Ejercicio 4

1. traza / taza
2. trino / tino
3. tapo / trapo
4. costa / costra
5. trizas / tizas
6. tren / ten

  ■ Respuesta libre.

 Ejercicio 5

metida, den, cada, dado, cantor, codo, medida, cata, dato, candor, ten, coto

 ■ metida / medida; den / ten; cada / cata; dado / dato; cantor / candor; codo / coto.

Ejercicio 6

Respuesta libre.

Lección 6. Fonema /d/

 Ejercicio 1

debate, divino, dama, danés, dragón, droguería, lindo, pendiente, espalda, molde, un dálmata, con desprecio, el drama

Ejercicio 2

Respuesta libre.

■ Respuesta libre.

 Ejercicio 3

El duque trabaja hasta el final del día.
Llegaré con dos amigos el domingo.
Hace un drama cuando me pongo la falda corta.
No tienen dinero para comprar el disco.
Drácula era un conde rumano.

 ■ Respuesta libre.

Ejercicio 4

madera, moneda, nada, madre, piedra, cordón, orden, una delicia, la droga, las doce, unos dados, paz divina, por demás, adjetivo, admirar, edad, Valladolid

Ejercicio 5

Respuesta libre.

■ Respuesta libre.

Ejercicio 6

Haz ese dado de madera.
La madre de Adela se quedó de piedra.
Es admirable la energía que tiene para su edad.
Ordenaré esos datos en mi despacho.
Te advierto que mi padre hace un cocido madrileño riquísimo.

 ■ Respuesta libre.

Ejercicio 7

1. toldo	6. sida
2. candado	7. Adra
3. dama	8. cardado
4. hada	9. todo
5. drama	10. sidra

1. toldo / todo   hada / Adra
     candado / cardado   sida / sidra
     dama / drama

 2. toldo / todo   hada / Adra
     candado / cardado   sida / sidra
     dama / drama

 Ejercicio 8

deman**d**a	el **d**es**đ**én con el **d**es**đ**én
cua**đ**ro a**đ**mirable	ar**đ**e en **d**eseos
mun**d**o olvi**đ**a**đ**o	escu**đ**o **đ**e ma**đ**era
an**d**a **đ**e espal**d**as	pare**đ** **đ**e la**đ**rillo
cor**đ**ón riza**đ**o	**d**icho **đ**e mo**đ**a

  ■ Respuesta libre.

Ejercicio 9

Tu perro me ha mordido los dedos de la mano.
Tira el dado de una vez.
Es estupendo pasear por el Madrid de los Austrias.
Madrugo todos los días menos el domingo.
Andaremos con la luz del día.

■ *oclusiva [d]:* **d**a**đ**o, estupen**d**o, **d**omingo, an**d**aremos, **d**ía.
   fricativa [đ]: mor**đ**i**đ**o, **đ**e**đ**os, **đ**e, da**đ**o, **đ**e, Ma**đ**ri**đ**, **đ**e, ma**đ**rugo,
   to**đ**os, **đ**ías, **đ**el.

Ejercicio 10

La duda viene de un dado,

de un dado que no he tirado.

Con los dedos doy al dado

y dos doses he sacado.

Le doy al dado otra vez,

pero sólo saco un tres.

■ Respuesta libre.

 Ejercicio 11

tardo / dardo	dragar / tragar
tejado / dejado	denso / tenso
tos / dos	cetro / cedro
tilo / dilo	coto / codo
dechado / techado	venta / venda
domar / tomar	falta / falda

 Ejercicio 12

drama, muerte, duna, tiente, muerde, doro, tuna

■ toro / doro

drama / trama

muerte / muerde

duna / tuna

tiende / tiente

 Ejercicio 13

cuando trama, celda, diente, celta, cuánto drama, tiente

■ cuando trama / cuánto drama; celda / celta; diente / tiente.

Ejercicio 14

En la gran ciudad donde reinaba el emperador, la vida era agradable y dichosa. Todos los días llegaban a ella, con objeto de visitarla, grandes huestes de forasteros. Un día aparecieron dos granujas que se presentaron en la corte como grandes tejedores, jactándose de tejer las más bellas telas imaginables, las cuales poseían el don particular de hacerse invisibles para toda persona que fuera necia o no estuviera capacitada para ejercer su trabajo.

■ *oclusiva [t], [d]:* ɗonde, toɗos, objeto, visitarla, grandes, huestes, forasteros, día, dos, presentaron, corte, grandes, tejedores, jactándose, tejer, telas, don, particular, toda, estuviera, capacitaɗa, trabajo.

fricativa [ð]: ciuɗad, ɗonde, emperaɗor, viɗa, agraɗable, ɗichosa, toɗos, ɗías, ɗe, ɗe, tejeɗores, ɗe, ɗe, toɗa, capacitaɗa.

Lección 7. Fonema /θ/

 Ejercicio 1

zeta, zamorano, zócalo, zueco, cerilla, cien, azucena, cazar, mecer, izquierda, pez azul, paz universal, luz y sonido

 Ejercicio 2

1. eficaz	8. buzón
2. mecer	9. cerezo
3. alabanza	10. circo
4. bronce	11. zarzuela
5. zona	12. voz áspera
6. cielo	13. lápiz amarillo
7. caza	14. actriz estupenda

Ejercicio 3

Respuesta libre.

■ Respuesta libre.

 ### Ejercicio 4

1. Los cerezos, los ciruelos y las azucenas están en flor.

2. El edificio del palacio se edificó en tiempos de paz sobre un antiguo alcázar.

3. La pobreza de la población hace que continúen los brotes de violencia.

 ■ Respuesta libre.

 ### Ejercicio 5

cima / sima	asada / azada
cirio / sirio	cazar / casar
pozo / poso	ases / haces
cepa / sepa	risa / riza
zumo / sumo	loza / losa

■ Respuesta libre.

Ejercicio 6

1. lazo	6. sesada	11. casado	16. laso
2. cien	7. meces	12. corso	17. meses
3. as	8. abraso	13. sien	18. profetisa
4. cazado	9. cebo	14. cesada	19. sebo
5. corzo	10. profetiza	15. haz	20. abrazo

■ lazo / laso; cien / sien; as / haz; cazado / casado; corzo / corso; sesada / cesada; meces / meses; abraso / abrazo; cebo / sebo; profetiza / profetisa.

Ejercicio 7

El cenicero lleno de ceniza está,
¿quién lo desencenizará?
el desencenizador que lo desencenice,
buen desencenizador será.

■ Respuesta libre.

Ejercicio 8

ciruela, cacerola, anzuelo, cero, zarpazo

 Ejercicio 9

cata / cada / caza
rota / Roda / roza
voces / votes
haces / ates
celta / delta
cisco / disco

 ■ 1.ª columna: /t/, /d/, /θ/
2.ª columna: /θ/, /t/
3.ª columna: /θ/, /d/

Lección 8. Fonema /s/

 Ejercicio 1

sábado, sombrero, sello, sílaba, mesa, rosa, queso, pasillo, postre, espuma, cascada, tos, martes, francés, seis, revés, las olas, las horas, es azul, ¿vamos al cine?

 Ejercicio 2

Sólo sabiendo silbar
a la serpiente se puede encontrar,
sílaba, seda, saliva.
Muda la piel, muda el disfraz,
sigilo, selva, sisal.

Ejercicio 3

¿Acaso nunca viste las danzas de las hadas? En las noches de estío descienden, enlazadas por sus chales de gasa, y saltan, una a una, desde un rayo de luna. Las hojas de las rosas les sirven de chapines, mientras danzan aladas al son de los violines.

■

s- inicial	-s- medial	-s final	-s final + vocal
sus, saltan, sirven, son	acaso, viste, estío, descienden, gasa, desde, rosas	las, danzas, hadas, las, noches, enlazadas, sus, chales, hojas, las, rosas, les, chapines, mientras, aladas, los, violines	las hadas, las hojas, aladas al

Ejercicio 4

¡Cuántas moscas hay en esta tasca!
Los niños trepan por los árboles.
El jardín huele muy bien gracias a los jazmines olorosos.
No le saques las castañas del fuego.

■ ¡Cuántah mohcah hay en ehta tahca!
  Loh niñoh trepan por los/hárbole.
  El jardín huele muy bien gracia a lo jahmine oloroso.
  No le saqueh lah cahtaña del fuego.

Lección 9. Fonema /l/

Ejercicio I

leyenda, labio, luna, ala, cola, pelota, pluma, plaza, blanco, blusón, flan, fleco, clara, clima, gloria, gladiolo, caldo, palma, alba, mil, papel, delantal, miel, el invierno, mil hormigas

Ejercicio 2

Respuesta libre.

■ Respuesta libre.

Ejercicio 3

el oro	mil hoteles
la galería	el toro
miel aromática	al este del Edén
azul índigo	el arte
papeles azules	al alba
mal olor	el hilo

■ el **o**ro, miel **a**romática, azul índigo, ma**l o**lor, mi**l ho**teles, a**l e**ste del **E**dén, e**l a**rte, a**l a**lba, e**l hi**lo

Ejercicio 4

1. Los lindos limoneros luneros dieron los limones en enero.

2. Los loros de larga cola de plumas azules salen al alba a volar.

3. Hay plantados en el balcón dos lilos de flor blanca.

4. Ponle el clavel en la solapa.

Ejercicio 5

Respuesta libre.

Ejercicio 6

1. cala / cata
   mala / mata
   loma / toma
   lapona / tapona
   ponle / ponte

2. vil / vid
   mulo / mudo
   delo / dedo
   nulo / nudo
   reluce / reduce

3. plazo / pazo
   blando / bando
   clara / cara
   flaca / faca

4. espalda / espada   5. cazado / calzado

   malta / mata   caderilla / calderilla

   calvo / cabo   hago / algo

   esculpir / escupir   como / colmo

I. grupo 1: /l/, /t/

   grupo 2: /l/, /d/

   grupo 3: /pl/, /p/; /bl/, /b/; /cl/, /c/; /fl/, /f/

   grupos 4 y 5: /l/, /Ø/

2. Respuesta libre.

Ejercicio 7

Si Pancha plancha con cuatro planchas,

¿con cuántas planchas plancha Pancha?

■ Respuesta libre.

Lección 10. Fonema /r/

Ejercicio 1

cero, oro, mirto, perla, mar, amor, prado, abrazo, trece, libro, dragón, edredón, frío, cofre, crío, ocre, granada, ingrato, comer albóndigas, mujer inquieta

Ejercicio 2

Mendo merendó una merienda,

y el menda que no merendó,

se quedó sin merendar

para que merendase don Mendo.

■ Respuesta libre.

Ejercicio 3

craso	brazo	cresta	bazo
prisa	cesta	fricción	caso
grasa	pingo	fase	pringo
guita	frase	pisa	gasa
ficción	prurito	grita	purito

■ craso / caso; prisa / pisa; grasa / gasa; guita / grita; ficción / fricción; brazo / bazo; cesta / cresta; pingo / pringo; frase / fase; prurito / purito.

 Ejercicio 4

1. Granada fue ganada por los Reyes Católicos.
2. Los ladrones atacaron el tren y atracaron a las damas que habían actuado en el drama.
3. Sorbe y bebe la vida con brevedad.
4. Te fío el trapo para tapar al gato y que no tenga frío.
5. No seas tan brusco mientras busco, como me dijiste, los cromos.

■ Respuesta libre.

 Ejercicio 5

muele / muere	colza / corza
celebro / cerebro	arma / alma
mar / mal	lira / lila
yelmo / yermo	halo / aro
charada / chalada	entelo / entero
modela / modera	cerebral / celebrar
toldo / tordo	pera / pela

 ■ Respuesta libre.

Ejercicio 6

pida, colada, lirio, cero, oda, coro, granara, salada, pillada, mira, ara, colmara

■ Respuesta libre.

Ejercicio 7

cateto, coro, peladura, carero, miro, caradura, coto, mito, catadura, pera dura

■ cateto / carero; coro / coto; peladura / pera dura; miro / mito; caradura / catadura.

Ejercicio 8

rana / rara	encanecer / encarecer
canilla / carilla	pera / pena
cura / cuna	toro / tono
pana / para	Viena / viera
venero / veneno	minara / mirara

■ Respuesta libre.

Ejercicio 9

pira, Lida, polo, oda, ara, loro, mora, mola, vela, vera

Ejercicio 10

1. Elena y morado.

2. La pera.

3. –Señorita, por favor, ¿puede decirme a qué hora llega de Perú el vuelo de Iberia?

–Ese vuelo viene demorado, caballero.

–No le he preguntado el color, sino la hora de llegada, señorita.

Demorado (con retraso) / de morado (color).

Lección 11. Fonema /r̄/

Ejercicio 1

risa, redondo, rata, rabo, rubí, corre, perro, tierra, niños rubios, israelí, honrado, enredadera, enrojecer, alrededor

Ejercicio 2

hiero, coral, cirro, cerro, curro, barrios, encerrar, carillo, torro, correa, vara, arre

■ Respuesta libre.

Ejercicio 3

rojo	horroroso	enredadera
parranda	alrededor	ribera
carreta	ferrocarril	Andorra
región	sierra	honrado
romántico	dos ríos	

Ejercicio 4

lana / rana	retal / letal
parra / pala	loma / Roma
loto / roto	rima / lima
celos / ceros	zurro / zulo
tarro / talo	entelado / enterrado
ruso / luso	correa / Corea
roca / loca	latón / ratón
legión / región	losa / rosa

■ Respuesta libre.

Ejercicio 5

1. Miraba cómo la alta enredadera había dejado encerrada la reja del rincón.
2. Los zorros son animales que corren raudos y veloces.

3. Tras la carrera los perros descansaban a la sombra de la carreta.

4. Las ranas rara vez croan lejos de la ribera de los ríos.

5. El herrero con las manos heladas herraba a los mulos atados a los aros de hierro del muro.

Ejercicio 6

Respuesta libre.

Lección 12. Fonema /n/

Ejercicio 1

niñera, nervioso, nación, noche, nublado, antena, bandeja, canalla, esquina, ilusión, examen, con agua, un hijo, algún estudiante, con azúcar

Ejercicio 2

1. campaña, 2. baño, 3. mano, 4. dona, 5. doña, 6. suena, 7. sueña, 8. peñas, 9. ensenada, 10. acuna, 11. tenido, 12. maño, 13. acuña, 14. empana, 15. penas, 16. empaña, 17. vano, 18. teñido, 19. campana, 20. enseñada

1. campaña / campana   peñas / penas

     baño / vano   ensenada / enseñada

     mano / maño   acuna / acuña

     dona / doña   tenido / teñido

     suena / sueña   empana / empaña

2. campaña / campana   peñas / penas

     baño / vano   ensenada / enseñada

     mano / maño   acuna / acuña

     dona / doña   tenido / teñido

     suena / sueña   empana / empaña

3. Respuesta libre.

Ejercicio 3

Miño / niño	rama / rana
nueve / mueve	mulo / nulo
como / cono	nudo / mudo
tenor / temor	Crono / cromo
cana / cama	mato / nato

■ Respuesta libre.

Ejercicio 4

1. cana	5. teñido	9. cama
2. baños	6. tono	10. vanos
3. temido	7. caña	11. tomo
4. Toño	8. vamos	12. tenido

1. cana / caña / cama; baños / vamos / vanos; temido / teñido / tenido; Toño / tono / tomo.

2. Respuesta libre.

Ejercicio 5

despeña, demonio, antaño, uranios, niño, huraños

■ Respuesta libre.

Ejercicio 6

Nunca y no es decir no,
no, nunca, es decir no,
nunca, no, es no y no;
luego nunca y no, es no.

Ejercicio 7

1. Este año el niño no tiene legañas por las mañanas.

2. La cabaña que tengo en la montaña está llena de telarañas.

3. Las niñas andaluzas llevan peinetas en el moño cuando se visten de flamencas.

4. Las campanas de la iglesia están sonando porque hay fuego en la campiña.

■ Respuesta libre.

Ejercicio 8

Respuesta libre.

■ El niño está endemoniado,
¿quién lo desendemoniará?
El desendemoniador que lo desendemonie,
buen desendemoniador será.

Ejercicio 9

Lección 13. Fonema /ĉ/

 Ejercicio 1

chabola, chaleco, chepa, cheli, chicle, chicarrón, chocar, chorro, chubas-
quero, chupete, cachear, derecho, bizcocho, endecha, cancha, parche

 Ejercicio 2

1. Primero mide la anchura del chaleco, y después, la del chal.

2. Chechu cuenta muchos chistes a sus amigas Merche y Chon.

3. Cada vez son más los achaques de algunos chicos.

4. –¿Desea chuletas de cochinillo para comer por la noche?

   –No, prefiero un chocolate con churros.

Ejercicio 3

■ Respuesta libre.

Lección 14. Fonema /y/

 Ejercicio 1

haya, rayado, puyazo, rayuela, hoyo, huyamos, reyes, joya, lacayo, trayecto,
bueyes, goyesco, ese hierro, la hierbabuena, la hiel, esta hiedra

 Ejercicio 2

1. Mi prima Yolanda creyó en los Reyes Magos hasta que fue mayor.

2. Los rosales y la hiedra de tu jardín están llenos de yemas.

3. Los hermanos mayores siempre influyen en los más pequeños.

4. El rayo que cayó en el mes de mayo me rompió el poyo de la ventana.

5. La hierba del jardín está cubierta de hielo.

Ejercicio 3

ya, yema, yeso, yodo, yate, yuca, yesería, yugoslavo, yacimiento, yantar, enyuntar, inyectar, conyugal, el yunque, un yogur, un yelmo, el hierro

Ejercicio 4

Respuesta libre.

■ Respuesta libre.

 Ejercicio 5

1. El hierro es un metal frecuente en yacimientos arqueológicos.
2. Un yerno mío se ha comprado un coche con motor de inyección.
3. Yolanda y Javier son cónyuges pero no hacen vida conyugal.
4. Pon yema de huevo a la salsa hecha con yogur.
5. El hierro de la reja del arado se ha roto.

 Ejercicio 6

Yuntero que llevas la yunta
con yugo a la yugada,
no yugues a la yunta
en la yugada con el yugo,
pues si a la yunta yugas,
mala yugada, yuntero.

■ [y] *fricativa:* la **y**unta, la **y**ugada, no **y**ugues, la **y**unta, la **y**ugada, la **y**unta **y**ugas, mala **y**ugada.
 [ŷ] *africada:* **y**untero, con **y**ugo, el **y**ugo, **y**untero.

 Ejercicio 7

1. ŷa llegan los bue**y**es.
2. ŷa pronto tendremos ma**y**ordomo.
3. Los valles de **y**erba fresca.
4. Los re**y**es se casan con plebe**y**as.
5. La ŷena ataca en noches de luna llena.

6. Enyesar es lo mismo que escayolar.

7. –¿Tu yerno es un ŷogui?

–No creo, ¿por qué?

–Porque por su forma de ser me pareció que practicaba el ŷoga.

Ejercicio 8

mayo, yaya, hacha, raya, yema, roña, payo, cuya, maña, cañada, haya, poyo, callado, vaya, olla

I. mayo / macho; yaya / chacha; aya / hacha; raya / racha; yema / Chema; roya· / roña; payo / paño; cuya / cuña; maya / maña; cayada / cañada; halla / haya; poyo / pollo; cayado /callado; valla / vaya; olla / hoya.

2. Respuesta libre.

3. Respuesta libre.

Lección 15. Fonema /ļ/

Ejercicio I

llanura, llamarada, llegar, lleno, llorón, llovizna, lluviosa, callada, malla, rollo, centollo, relleno, collar

Ejercicio 2

pilla	lama
alada	llego
pollo	calado
llama	hallada
lego	desollado
callado	pila
desolado	polo

1. pilla / pila; alada / hallada; pollo / polo; llama / lama; lego / llego; callado / calado; desolado / desollado.

2. Respuesta libre.

Ejercicio 3

agallas / agachas, mullo / mucho, falla / facha, pollo / pocho, mella / mecha, ralla / racha

■ /ʎ/, /ĉ/

Ejercicio 4

Fallar los fallos es un fallo,
fallos que hay que fallar;
pues si en los fallos, fallas,
fallos y no fallos los fallarás.

Llavines y llaves llevo,
llevo porque llaves hay que llevar;
si el llavero es para llevar llaves,
ya ves que llavines
también suelo llevar.

■ Respuesta libre.

Ejercicio 5

Respuesta libre.

Lección 16. Fonema /ɲ/

Ejercicio 1

ñoñería, añil, paño, cañaveral, escudriñar, otoñal, tañido, engaño, español, castaño, enfurruñada, cuñado

Ejercicio 2

Respuesta libre.

Ejercicio 3

le gana / legaña	lema / leña	cima / ciña
acunar / acuñar	pañal / panal	empañada / empanada
año / ano	Nina / niña	cañita / canita
maña / mana	peña / pena	tiño / tino

■ Respuesta libre.

Ejercicio 4

preñada, guiño, pestaña, castañuela, cigüeña

Ejercicio 5

Respuesta libre.

Lección 17. Fonema /k/

Ejercicio 1

canela, clavo, clérigo, crematorio, cráneo, quejido, quijote, cocodrilo, cule-bra, secar, esclavo, acristianar, escribir, acróbata, saque, cacique, alcoba, encubrir, perfecto, instrucciones, bloc

Ejercicio 2

Claudio quiere comer calabacín relleno de queso.

El alcalde concluyó la conferencia y los concejales se quejaron del edicto.

Las consonantes no son iguales que las vocales.

Los atracadores atracaron el banco con escopetas.

Ejercicio 3

credo, clama, cabe, cromo, quedo, can, cama, clave, como, clan

■ credo / quedo; clama / cama; cabe / clave; cromo / como; can / clan.

 Ejercicio 4

acción, acceso, introducción, lección, accidente, coacción, confeccionado, redactar

 Ejercicio 5

1. –¿Quieres crema con caramelo?

   –No, quiero cocido catalán.

   –¿Y de postre?

   –Queso con nueces.

2. Las cosas que me comentaste carecen de credibilidad.

3. –¿Te crees lo que te ha contado Carmela?

   –Sí, porque sacó la carta que le habían escrito.

4. Carlos, copia bien los apuntes de clase y luego compruébalos en tu casa.

5. Carmen se quedó boquiabierta al ver las increíbles piruetas de los acróbatas del circo.

■ Respuesta libre.

Ejercicio 6

Respuesta libre.

 Ejercicio 7

examen, taxi, tóxico, exagerar, nexo, auxilio, óxido, exposición, texto, excursión, extracto, mixto, explicar, extremo, contexto

Lección 18. Fonema /g/

Ejercicio 1

gallo, gota, guapo, guerrero, guía, grabado, gramo, grillo, glacial, gloria, hongo, rango, sangre, en Granada

Ejercicio 2

1. guiño	6. guisante
2. ganga	7. guarida
3. tinglado	8. guerra
4. gueto	9. granito
5. gladiolo	10. engalanar

■ Respuesta libre.

Ejercicio 3

Respuesta libre.

■ Respuesta libre.

Ejercicio 4

1. Gritaron al verlo cubierto de sangre.

2. Me produce una enorme angustia tanta ingratitud.

3. Gato con guantes no caza ratones.

4. Un guía nos ha contado un gracioso suceso.

5. Guitarras y panderetas acompañaban el baile de la cíngara.

■ Respuesta libre.

Ejercicio 5

agua, arruga, liga, iglesia, siglas, alegre, tigre, carga, alguien, rasguño, dogma, ignorante, la guerra, unos guantes, al galope, cruz grande

Ejercicio 6

Respuesta libre.

Ejercicio 7

1. Agradezco el encargo de impartir esa asignatura.

2. En agosto viajaremos a Galicia.

3. El dedo más grueso de la mano es el pulgar.

4. La insignia de los peregrinos de Santiago es la concha.

5. Augusto, no juegues con los globos llenos de agua.

6. Algo de ese noviazgo sabíamos ya.

 ■ Respuesta libre.

Ejercicio 8

gangrena

griego

vagancia

muchos grumos

regata grandiosa

guiso sin ganas

un granado grande

lugar de categoría

Ejercicio 9

1. Ninguno baila bien el tango.

2. En Granada conocí a un guapo guitarrista.

3. La iglesia es un lugar sagrado.

4. Ha sido una venganza indigna y sangrienta.

5. El gregoriano es un canto muy antiguo.

6. Es un enigmático jefe de gobierno.

 ■ Respuesta libre.

Ejercicio 10

canso / ganso	gasta / casta	laco / lago
codo / godo	cordura / gordura	traga / traca
grasa / crasa	galesa / calesa	secar / segar
coleta / goleta	goma / coma	recado / regado
guiso / quiso	manca / manga	plaga / placa

Ejercicio 11

1. gorro	6. rasco
2. rasgo	7. cama
3. gama	8. corro
4. carga	9. pego
5. carca	10. peco

1. gorro / corro; rasgo / rasco; gama / cama; carga / carca; pego / peco.

2. gorro / corro; rasgo / rasco; gama / cama; carga / carca; pego / peco.

Respuesta libre.

Ejercicio 12

corro por el gorro	brincar
no calla un gallo	toca la toga
pringar	

Ejercicio 13

Aquella mañana Miguel no tenía tiempo para sacar la vaca al prado; era mejor tenerla cerca, por ejemplo, en el tejado; ¿en el tejado? ¡Sí, en el tejado! Porque la casa de Miguel estaba cubierta de musgo y de tierra vegetal, y por eso crecía en él gran cantidad de hierba y flores.

Y no era tan difícil como podáis creer llegar hasta el tejado con la vaca. La casa de Miguel estaba construida en la ladera de una montaña; no había más que subir por ella hasta un pequeño cobertizo y de allí pasar al tejado.

La vaca se quedó muy contenta allí y se puso a comer con gran apetito la hierba que arrancaba con su lengua.

Lección 19. Fonema /x/

Ejercicio 1

jamón, jeque, jirón, jornada, jugador, general, gitano, mojado, viajero, lejía, rojo, regente, recogida, carcaj, boj

Ejercicio 2

Quejicoso se quejaba,

y sus quejas quejumbrosas

se asemejaban a los quejidos

de aquellos quejicosos

que se quejaban como quejicosas.

Ejercicio 3

1. roja	8. roca	15. paga
2. quema	9. gema	16. higo
3. jueces	10. cueces	17. paja
4. curado	11. migaja	18. bajo
5. moco	12. lijado	19. mi caja
6. mojo	13. vago	20. ligado
7. jurado	14. hijo	

1. roja / roca; quema / gema; jueces / cueces; curado / jurado; moco / mojo; migaja / mi caja; lijado / ligado; vago / bajo; hijo / higo; paga / paja.

2. /x/-/k/, /g/

3.

roja / roca	migaja / mi caja
quema / gema	lijado / ligado
jueces / cueces	vago / bajo
curado / jurado	hijo / higo
moco / mojo	paga / paja

Respuesta libre.

Ejercicio 4

1. Tenía las mejillas enrojecidas por el calor.

2. Los gemidos de la gitana suavizaron el gesto del jefe de los gendarmes.

3. José recoge cada jueves las hojas secas de su jardín.

4. Los jugadores emprendieron su gira en una gélida tarde de invierno.

Ejercicio 5

   Aquel verano, la vida en el campo era muy agradable. El trigo dorado contrastaba con la verde avena y en los prados se agrupaba y amontonaba el forraje recién segado. Sobre ellos volaban las cigüeñas de largas patas rojas, hablando el idioma egipcio que aprendieron de sus madres. Y alrededor de los campos existían grandes bosques con profundos lagos de aguas cristalinas donde nadaban graciosamente los patos y los cisnes. En medio de aquel paisaje se levantaba una casa solariega con grandes acequias a su alrededor. Por sus paredes trepaban espesas enredaderas que hundían sus raíces en el agua. ¡Aquel paraje y aquel verano eran realmente deliciosos y tranquilos!

■ Respuesta libre.

Ejercicio 6

Un loro <u>joven</u> se <u>cobijaba</u> en las ramas de un melocotonero pero una gran tormenta derribó el árbol, que cayó al río. El loro trató de huir pero la lluvia era tan intensa que no lo <u>dejaba</u> volar, por lo que no podía <u>alejarse</u> de la tormenta. Miró hacia <u>abajo</u> y vio un grueso tronco flotando sobre el agua; se posó en él y <u>juntos</u> continuaron corriente <u>abajo</u>.

■ Las palabras subrayadas marcan la aspiración de /x/.

PARTE V. LA SÍLABA

Ejercicio 1

be-lén	i-no-cen-tes	sue-ños
ár-bol	pues-tos	cam-pa-na-da
no-che-bue-na	ca-bal-ga-ta	chi-me-ne-a
tu-rrón	fa-mi-lia	nie-ve
ma-za-pán	co-mi-lo-na	di-ciem-bre
lo-te-rí-a	fe-li-ci-dad	tri-ne-o

Ejercicio 2

CV: co, me, no, si, ta, lo, ba, mu, gui, le, di, mi, ca, rra, te, fo, ro, rra

VC: al

CCV: tra, cro, gra

CVC: tan, can, voz

V: a

CDC: ción

■ música, guitarra, grabación, cantante, micrófono, coro, letra, altavoz, melodía

Ejercicio 3

La Casita del Labrador, Monasterio del Escorial, la Sagrada Familia, Universidad de Alcalá, La Alhambra, Catedral de Toledo

LA	CA	SI	TA	DEL	LA	BRA	DOR
SA	AL	BRON	CAS	RE	CA	TOR	FA
GRA	SO	HAM	SIR	FAS	AL	MA	DO
DA	LA	RO	BRA	JE	DE	NO	LE
FA	ME	BLE	ZA	QUI	DAD	PLA	TO
MI	LLO	SOL	DO	VO	SI	TA	DE
LIA	YA	RRA	EN	CA	VER	NO	DRAL
ÑA	DOR	FAL	AL	DA	NI	GA	TE
SO	VA	GUE	MI	ME	U	DRI	CA
RIAL	CO	ES	DEL	RIO	TE	NAS	MO

Ejercicio 4

1. c

2. f

3. a

4. e

5. d

6. b

Ejercicio 5

Respuesta libre.

■ Respuesta libre.

Ejercicio 6

Respuesta libre.

PARTE VI. LA ACENTUACIÓN

 Ejercicio I

para**dor**, panta**lón**, ho**tel**, restau**ran**te, sende**ris**mo, mo**chi**la, **bo**tas, **guan**tes, me**són**, a**gen**cia, **ma**pa, **brú**jula, auto**bús**, esta**ción**, ca**mi**no, **cá**mara foto**grá**fica, cantim**plo**ra, fiam**bre**ra, aven**tu**ra, bi**lle**te, **tú**nel, in**dí**gena, boti**quín**, **ru**ta tu**rís**tica, **rá**pidos, ma**rí**timo, **pla**ya

1. parador, panta**lón**, hotel, restaurante, senderismo, mochila, botas, guantes, me**són**, agencia, mapa, **brú**jula, auto**bús**, esta**ción**, camino, **cá**mara foto**grá**fica, cantimplora, fiambrera, aventura, billete, **tú**nel, in**dí**gena, boti**quín**, ruta tu**rís**tica, **rá**pidos, ma**rí**timo, playa

2.

agudas	llanas	esdrújulas
parador, pantalón, hotel, mesón, autobús, estación, botiquín	restaurante, senderismo, mochila, botas, guantes, agencia, mapa, camino, cantimplora, fiambrera, aventura, billete, túnel, ruta, playa	brújula, cámara fotográfica, indígena, turística, rápidos, marítimo

Ejercicio 2

Respuesta libre.

■ Respuesta libre.

 Ejercicio 3

1. alfon**sí**
2. dentista
3. salva**ción**
4. salvavidas
5. serial
6. ca**rá**tula
7. pincel
8. al**cá**zar

9. **pá**gina
10. pobla**ción**
11. colegial
12. hambriento
13. inseguridad
14. califica**ción**

15. pretérito
16. ca**tás**trofe
17. veinticinco
18. escarcha
19. im**bé**cil
20. lin**güís**tica

Ejercicio 4

cortes / cortés
rabio / rabió
palmara / palmará
fines / finés

recalco / recalcó
canso / cansó
leche / le eché
íntimo / intimó

Ejercicio 5

término / ter**mi**no
ro**zó** / **ro**zo
carne / car**né**
calcu**ló** / **cál**culo

rapto / rap**tó**
cáscara / casca**rá**
u**só** / **u**so
habi**li**to / habili**tó**

1. **tér**mino / termino
   ro**zó** / rozo
   carne / car**né**
   calcu**ló** / **cál**culo

rapto / rap**tó**
cáscara / casca**rá**
u**só** / uso
habilito / habili**tó**

2. Respuesta libre.

Ejercicio 6

le**ér**selo, explic**án**doselas, afeit**án**donosla, com**ér**telo, recomend**án**donos, calent**án**domelos, coloc**án**dooslo

Ejercicio 7

carácter: caracteres
hábil: hábiles
lápiz: lápices

hipótesis: hipótesis
canon: cánones
árbol: árboles

colchón: colchones
examen: exámenes
alférez: alféreces

Ejercicio 8

1. ángulo: esdrújula; oscuro, estaba: llanas terminadas en vocal; salón, violín: agudas terminadas en -n; en, el, del: monosílabos.

2. agua, fresca, grifo: llanas terminadas en vocal; cántaro: esdrújula; está, más: agudas terminadas en vocal y -s respectivamente; el, del, que, la: monosílabos.

3. sácame: esdrújula; coche, olvidado: llanas terminadas en vocal; maletín, dejé: agudas terminadas en -n y vocal respectivamente; del, el, que: monosílabos.

4. césped, casa, plagado: llanas terminadas en consonante que no son ni -n ni -s, y en vocal respectivamente; jardín, está: agudas terminadas en -n y vocal respectivamente; tréboles: esdrújula; el, del, de, mi, de: monosílabos.

5. este, primo: llanas terminadas en vocal; médico: esdrújula; operó, corazón, Julián: agudas terminadas en vocal y en -n, respectivamente; hospital, Madrid: agudas terminadas en consonante que no son ni -l ni -s; del, a, mi, en, un, de: monosílabos.

Ejercicio 9

1. No **sé si** voy a comer con **él** en **el** bar.
2. Entre **tú** y **tu** novia, me tenéis loco.
3. Dijo **que** quería **que** Juan **se** diera un baño.
4. ¿**Te** tomas un **té** conmigo?
5. ¡Ha dicho **que sí**!
6. Esto es para **mí,** por **mi** aniversario.

Ejercicio 10

1. ata**ví**o
2. **grú**a
3. **tué**tano
4. soli**t**ario
5. **bú**ho
6. ca**í**da
7. vi**ni**eras

8. **pei**ne
9. acen**tú**a
10. **Cáu**caso
11. o**í**do
12. **rí**e
13. ata**úd**
14. calo**rí**a

1.

1. ata**ví**o: a-ta-**ví**-o
2. **grú**a: **grú**-a
3. **tué**tano: **tué**-ta-no
4. soli**t**ario: so-li-**t**a-rio
5. **bú**ho: **bú**-ho
6. ca**í**da: ca-**í**-da
7. vi**ni**eras: vi-**ni**e-ras

8. **pei**ne: **pei**-ne
9. acen**tú**a: a-cen-**tú**-a
10. **Cáu**caso: **Cáu**-ca-so
11. o**í**do: o-**í**-do
12. **rí**e: **rí**-e
13. ata**úd**: a-ta-**úd**
14. calo**rí**a: ca-lo-**rí**-a

2.

agudas	llanas	esdrújulas
ataúd	atavío, grúa, solitario, búho, caída, vinieras, peine, acentúa, oído, ríe, caloría	tuétano, Cáucaso

 Ejercicio 11

Después los dos huérfanos se encontraron con el fraile, que iba al límite de sus fuerzas, con la lengua fuera. Había estado andando mucho rato y no podía tirar de su alma. El fraile se echó sobre el suelo y acabó durmiéndose sobre la hierba. Tenía la cabeza cubierta con el sombrero y entre sus manos sostenía un rosario. Mientras tanto, los huerfanitos se entretenían tirando piedras al río.

■

agudas	llanas	esdrújulas
después, los, dos, se, con, el, que, al, de, sus, con, la, y, no, tirar, de, su, echó, acabó	encontraron, fraile, iba, fuerzas, lengua, fuera, había, estado, andando, mucho, rato, podía, alma, sobre, suelo, hierba, tenía, cabeza, cubierta, sombrero, entre, manos, sostenía, rosario, mientras, tanto, huerfanitos, entretenían, tirando, piedras, río	huérfanos, límite, durmiéndose

PARTE VII. LA ENTONACIÓN

 Ejercicio 1

1. Felipe pregunta cuándo llega el tren.

2. Felipe pregunta: "¿Cuándo llega el tren?".

3. Felipe, pregunta cuándo llega el tren.

Ejercicio 2

No quiero salir.

No, quiero salir.

Juan compra un libro.

Juan, compra un libro.

Pedro, dime dónde están las llaves.

Pedro, dime, ¿dónde están las llaves?

Paloma estudia mientras yo leo.

Paloma, estudia mientras yo leo.

Paloma, estudia, mientras, yo leo.

■ Respuesta libre.

Ejercicio 3

Ha llegado Pedro.

¿Ha llegado Pedro?

¡Ha llegado Pedro!

Ejercicio 4

Me voy.

El perro no come.

El cine está lleno.

¡No puedo más!

¡Qué aburrimiento!

¡El lunes es fiesta!

Ven aquí.

Haced los deberes.

Anda más deprisa.

¿Cómo te llamas?

¿Cuándo volverás?

¿Qué quieres?

Ejercicio 5

Respuesta libre.

■ Respuesta libre.

Ejercicio 6

1. Marta no ha venido a clase.

2. ¿Quién está contigo?

3. ¡No me digas!

4. Hazte ahora mismo la cama.

5. ¡Qué guapísima estás!

6. La abuela me va a leer un cuento.

  ■ Respuesta libre.

Ejercicio 7

¿Vendrás conmigo de compras?

¿Estás ya de vacaciones?

¿Cómo te llamas?

¿No ha llegado José Ramón?

¿Deseaba otra cosa más?

¿Es éste tu coche nuevo?

Ejercicio 8

1. ¿Quién te quiere a ti? Descendente ↘

2. ¿Cuántas chocolatinas te quedan? Descendente ↘

3. ¿Dónde has puesto mi abrigo? Descendente ↘

4. ¿Hay excursión a Toledo el sábado? Ascendente ↗

5. ¿Podemos comenzar la clase? Ascendente ↗

6. ¿Qué te he dicho? Descendente ↘

Ejercicio 9

1. Tengo una casa en la sierra. Descendente ↘

2. Me las pagarás. Descendente ↘

3. ¿Quieres que estudiemos juntos? Ascendente ↗

4. El marido y la mujer eran altísimos. Descendente ↘

5. ¿Tienes miedo? Ascendente ↗

6. ¡Quién eres tú para decirme esas cosas! Descendente ↘

7. ¡Ojalá llueva durante todo este mes! Descendente ↘

8. ¿Qué buscas aquí? Descendente ↘

9. Éste es el abrigo de mi hermana. Descendente ↘

10. ¡Nunca había visto una persona como tú! Descendente ↘

 ■ Respuesta libre.

Ejercicio 10

D: descendente   A: ascendente

Belén: ¡Hombre!, ¿qué tal? D-D

Pepa: ¡Feliz cumpleaños, Belén! Esto es para ti. D-D

Belén: Muchas gracias. ¿Qué me has regalado? D-D

Pepa: Es una sorpresa. Ábrelo. D-D

Belén: A ver, a ver... ¡Ah! ¡Si es una brújula! A-D-D

Pepa: Claro, para que no te pierdas. D-D

Belén: ¡Qué graciosa! Anda, entra. Ya han llegado los demás. D-D-D

Luis, Antonio y Rosa: ¡Hola, Pepa! D

Pepa: ¿Habéis empezado sin mí? A

Antonio: ¡Ya estamos todos! D

Luis: ¿Y la tarta? ¿Podemos comerla ya? A-A

Rosa: ¡Traed las velas! D

Todos: ¡Cumpleaños feliz, cumpleaños feliz! D-D

Ejercicio 11

Al mal tiempo, buena cara.

Al salir de clase, me encontré con Begoña.

Allá donde fueres, haz lo que vieres.

Cuando sonó el teléfono, estábamos comiendo.

Quien no quiera venir, que se marche.

Entre el clavel y la rosa, su majestad escoja.

¿Estudias o trabajas?

¿Compramos una planta o un ramo de claveles?

No hay mal que por bien no venga.

El aceite de oliva todo el mal quita.

Ejercicio 12

1. El día está gris↘, lluvioso↘, muy triste↘.

2. Cazaron codornices↘, perdices↘, conejos↘, liebres↘.

3. Los niños iban disfrazados de pollitos↘, payasos↘, hadas↘, mendigos↗ y princesas↘.

4. Ve por esa calle oscura↗, y al final encontrarás la puerta del jardín↘.

5. La casa era grande↘, espaciosa↘, luminosa↗ y muy bonita↘.

6. Anduvimos por valles↘, caminos↘, trigales↘.

7. Pon en la cartera los libros↘, los cuadernos↗ y los lápices↘.

8. En los aperitivos pusieron croquetas↘, tortilla↘, queso↘, jamón↗ y pastelillos de hojaldre↘.

1. Respuesta libre.

2. Respuesta libre.

🎧 **Ejercicio 13**

Fray Gabriel↘, después de comer↗, pidió agua↘. El tío Camuñas tosió una vez o dos↘, se levantó↘, bajó al sótano del castillo↘, se metió en la despensa↘, salió de la despensa↗ y se presentó de nuevo en el comedor↘, donde fray Gabriel y los tres jóvenes↗ esperaban muertos de sed↘.

–No hay agua↘ –dijo el tío Camuñas↘.

–¡Que traigan vino!↘ –exclamaron contentos los tres jóvenes↘.

El tío Camuñas se pasó la mano por la cabeza↘ y, después de pensarlo mucho↗, se decidió a hablar↘. Les dijo que la situación era angustiosa↘, que él no temía a nada↘, ni al cansancio↗ ni a la falta de sueño↘. ¡Ni siquiera a la muerte!↘

–¡Lo malo es la sed!↘ ¡Se mueren hasta las ratas!↘

–¿No recordáis haber visto una rata que estaba gorda?↗ –dijo uno de los jóvenes a sus compañeros↘.

Tras mucho meditar↘, fray Gabriel preguntó↘:

–¿Decís que vosotros habéis visto una rata?↗

–Hemos visto no una rata↘, sino cinco o seis↘; no queríamos decirlo para no asustar a los demás↘.

–¿Dónde las habéis visto?↘

–En el sótano de la torre↘.

–Pues, si hay ratas↘, es que hay agua↘. ¡Habrá que buscarla!↘

PARTE VIII. RECAPITULACIÓN

Juegos

Ejercicio 1

Grupo 1

azul, Barcelona, Colombia, chorizo, dedos, estar, Francia, garaje, hijos, ida, jamón, kilo, lavar, llave, mío, nada / ninguno, uñas, oveja, paraguas, aquí, rápido, Sevilla, techo / tejado, uvas, victoria, Washington, examen, yate, zapatos

Grupo 2

antes, bajar, casa, salchicha, dado, España, feo, Granada, hache, infantas, jota, kikirikí, ele, lluvia, médico, no / nunca, eñe, o, peseta, queso, ratón, sí, tetera, uno, Verona, whisky, existir, yegua, zeta

Ejercicio 2

Respuesta libre.

Ejercicio 3

Respuesta libre.

Comprensión auditiva

 ### Ejercicio 1

–¿Dígame?

–¿Mamá? Soy Pedro, ¿Cómo estás?

–Bien, aunque un poco cansada, ya sabes...

–No te quejes tanto. Te llamo para que me des tu receta del cocido madrileño, porque el sábado vienen a comer unos amigos míos.

–¿Y serás capaz de hacerlo tú solo?

–Mamá, ya tengo alguna experiencia en la cocina.

–Bueno, tampoco es muy complicado. Vamos a ver, ¿cuántos vais a ser?

–No seremos muchos, solamente cinco personas.

–Venga, toma nota.

–Puedes empezar cuando quieras porque ya tengo papel y bolígrafo.

–Necesitas comprar: un kilo de garbanzos, un hueso de jamón, dos huesos frescos, un cuarto de carne de añojo, una pechuga de gallina, dos morcillas, un chorizo, un par de zanahorias, un puerro, medio repollo, una ramita de apio, tres patatas y fideos para la sopa.

–Mamá, ¿qué son el añojo y los huesos frescos?

–Pues ¡hijo!, el añojo es carne de ternera de un año y los huesos frescos son huesos de ternera sin salar.

–Ah… Cuando tenga todo comprado, ¿qué tengo que hacer?

–La víspera pones medio kilo de garbanzos en agua con un poquito de sal para que estén más tiernos. En una olla grande pones la carne, la gallina, el hueso de jamón, los huesos frescos y los garbanzos cubiertos de agua; lo dejas hervir alrededor de una hora. Después añades las patatas, las verduras, el chorizo y las morcillas, y lo dejas cocer durante media hora más. Cuando esté todo cocido, sacas el caldo a una cacerola y lo pones al fuego con dos puñados de fideos finos.

–Muchas gracias, mamá. Espero que me salga rico. Ya te contaré.

Soluciones

1. b; 2. a; 3. b; 4. c.

 Ejercicio 2

Alaska es una cantante nacida en Ciudad de Méjico y residente en España. Su verdadero nombre es Olvido Gara.

En 1978 dio sus primeros pasos en el mundo de la música en un grupo punk llamado KK de Luxe. Ese mismo año, con tres cantantes, forma una nueva banda, Los Pegamoides, además de formar parte de Radio Futura y Almodóvar y McNamara. En 1980 nace un nuevo grupo llamado Alaska y Los Pegamoides, que se disuelve en el otoño de 1982 para dar lugar a otro nuevo, Dinarama. Con él alcanzó una gran popularidad a partir de 1984 gracias al disco *Deseo carnal,* superventas que consagró a Alaska como reina de la movida madrileña y del pop español. Actuó en la película de Almodóvar *Pepi, Luci, Bom y otras chicas del montón,* cuyo tema musical *Bailando* tuvo un gran éxito nacional e internacional. Con estos trabajos consiguió tanta popularidad que la llamaron de televisión para hacer diversos programas; de ellos el más conocido fue *La bola de cristal.* También colaboró en revistas de moda, por su forma personal de vestirse, de maquillarse y peinarse.

En la década de los noventa inició una nueva etapa como empresaria de locales nocturnos y reanudó su trabajo como cantante junto con Nacho Canut, en un nuevo grupo llamado Fangoria.

Soluciones

1. b; **2.** c; **3.** a; **4.** a.

Ejercicio 3

Las Posadas en Méjico

Las Posadas mejicanas son unas fiestas populares que tienen su origen en el siglo XVI y que se celebran en las nueve noches anteriores a la Nochebuena, del 16 al 24 de diciembre.

Con estas fiestas se recuerda el camino que hicieron la Virgen María y su esposo, José, desde Nazaret hacia Belén para cumplir con la obligación de empadronarse impuesta por el Estado romano. El viaje tenía nueve etapas, por eso estas fiestas mejicanas duran nueve días y terminan con la llegada a Belén de la Virgen y San José.

Las Posadas comienzan con una procesión en la que participan José y María montados en un burro, seguidos por la gente del pueblo, que los acompaña con velas encendidas y cantando villancicos hasta llegar a una casa en la que se pide posada. Al terminar los villancicos, se abre la puerta de la casa y se les da paso a José y María; los acompañantes, muy contentos, encienden luces, tiran cohetes y los niños rompen una piñata con los ojos vendados. Después regalan frutas, dulces y beben ponche.

Soluciones

1. b; **2.** c; **3.** c; **4.** b.